G000021825

Oscar bestsellers

di Andrea Camilleri

nella collezione Oscar

*Gli arancini di Montalbano*
*Il colore del sole*
*Gocce di Sicilia*
*Le inchieste del commissario Collura*
*Il medaglione*
*Un mese con Montalbano*
*La paura di Montalbano*
*La pensione Eva*
*La prima indagine di Montalbano*
*Racconti di Montalbano*
*Racconti quotidiani*
*Un sabato, con gli amici*
*La scomparsa di Patò*
*Il tailleur grigio*
*Troppu trafficu ppi nenti* (con Giuseppe Dipasquale)
*Voi non sapete*

nella collezione NumeriPrimi°

*L'intermittenza*

nella collezione Libellule

*Il diavolo, certamente*

nella collezione Varia di Letteratura

*Camilleri legge Montalbano*
(libro e 2 cd audio)

nella collezione I Meridiani

*Romanzi storici e civili*
*Storie di Montalbano*

ANDREA CAMILLERI

# IL TAILLEUR GRIGIO

OSCAR MONDADORI

© 2008 Arnoldo Mondadori Editore S.p.A., Milano

I edizione Scrittori italiani e stranieri febbraio 2008
I edizione Grandi Bestsellers giugno 2009
I edizione Oscar bestsellers giugno 2012

ISBN 978-88-04-61914-7

Questo volume è stato stampato
presso Mondadori Printing S.p.A.
Stabilimento NSM - Cles (TN)
Stampato in Italia. Printed in Italy

# Il tailleur grigio

*Per Carlo e Silvana*
*amici veri da una vita*

# I

Raprì l'occhi come tutte le matine alle sei spaccate.

Susennosi di un quarto e sporgendosi di lato a rischio di cadere dal letto, branculiò con la mano mancina sopra al comodino, trovò il ralogio da polso, lo pigliò, si stinnicchiò nuovamente, con l'altra mano addrumò la luce, taliò il ralogio ed ebbe la conferma che erano le sei.

D'altra parte, non avrebbe potuto essere diversamente: doppo quarant'anni e passa, oramà tutto il suo corpo si era abituato e aveva puntato a quell'orario una sua particolare sveglia interna che non fallava mai. Per cui, macari se la sera avanti si era corcato col proposito d'arrisbigliarsi un'ora doppo del solito, la sveglia corporale sempre alle sei spaccate sonava, e non c'era verso di cangiarle orario.

Tante erano oramà le cose matutine che il suo corpo faceva, come dire, in automatico. Pirchì, tanto per fare un esempio, doviva mettersi a tastiare allo scuro fino a quando le punte delle dita sentivano il vetro del ralogio, pigliarlo in mano, addrumare la luce con l'altra mano e finalmente taliare che ora era? Non sarebbe stato più logico adoperare una mano sola per addrumare la luce, pigliare il ralogio e taliare l'ora, senza bisogno di fare tutto quel mutuperio? Oltretutto, sarebbe stato uno sparagno d'energia. E di ralogi, a considerare bene. Perché nel corso di quarant'anni, a forza di tastiare nello scuro, di ralogi ne aveva scassati tre facendoli cadere a terra.

Ma come si fa a puntare la sveglia interna a un'ora diversa? Capace che persino una sveglia normale, di quelle che si mettono sul comodino, doppo quarant'anni che aveva la lancetta fissa sulle sei, difficilmente si sarebbe potuta sbloccare da quella posizione.

Pirchì da quella mattina in poi lui, d'arrisbigliarsi a quell'ora, non aveva più bisogno.

Dal jorno avanti era andato in pensione.

Ma evidentemente al corpo non gli era pervenuta la comunicazione ufficiale dell'avvenuto pensionamento, tant'è vero che cinque minuti doppo che si era arrisbigliato, a malgrado di un timido tentativo di restarsene ancora tanticchia corcato, si era trovato, come al solito, addritta. Dal bagno, e quella matina il bruciore era stato particolarmente forte, tanto da farlo lacrimiare, era passato nello spogliatoio, un cammarino stritto e longo che aveva una parete interamente pigliata da un armadio a muro bianco. Sopra ai due ometti, Giovanni aveva già preparato biancheria e abito da indossare. La sera avanti non gli aveva lasciato ordini precisi circa i vestiti che gli necessitavano per il jorno appresso, per cui il cammarere si era mantenuto sulle generali, vale a dire completo grigio scuro, cammisa bianca, cravatta severa.

Quando finì di vestirsi e si taliò allo specchio, si sentì tanticchia a disagio. Se ne spiò la ragione. E la risposta gli venne subito: era vestito come tutti i giorni, esattamente come se dovesse andare in banca.

E invece in banca non doveva più andarci.

Però non aveva nessuna gana di raprire l'armadio e di scegliersi un altro vestito. Comunque, sarebbe stata un'impresa difficile assà. Da anni non aveva avuto più occasione di raprirlo, precisamente da quando con Adele avevano deciso di dividere in due l'appartamento, e non sapeva perciò il verso che il cammarere aveva dato ai suoi vestiti dentro l'armadio. Si taliò nuovamente allo specchio e stavolta s'attrovò decisamente riddicolo. Era vestito come per un consiglio d'amministrazione e invece l'unica cosa che d'ora in avanti avrebbe dovuto amministrare era l'enorme quantità di tempo che aveva a disposizione per non fare nenti di nenti.

No, doveva assolutamente cangiarsi.

L'armadio a muro era suddiviso in due filere sovrapposte e ogni filera era composta da sei scomparti. Raprì il primo a mano dritta e lo richiuì subito, erano tutti vestiti d'estate. Macari il secondo. Il terzo invece era stipato d'abiti di mezza stagione. Nisciuno quasi li portava più, in quanto le mezze stagioni da gran tempo erano scomparse, si passava dal cavudo al friddo e viceversa senza soluzione di continuità.

L'indicazione del verso ora gli era chiara, gli abiti invernali s'attrovavano nei restanti tre armadietti a partire da mano manca. Ma a questo punto la gana di cercare ancora gli passò definitivamente.

Riddicolo, va bene. Ma a chi doveva dare conto? Tanto non aveva intenzione di nesciri da casa e non aviva da ricevere nisciuna persona. Però almeno una cosa la poteva fare, un qualcosa di completamente diverso che spezzava la quarantennale abitudine: togliersi la cravatta. Portò le mano all'altezza del collo, cominciò ad armeggiare con le dita e il risultato fu di stringere chiossà il nodo, tanto che a momenti si strozzava. Provò ad allentarlo, ma non ce la fece. Era come se le dita fossero chiamate a compiere un gesto innaturale, si rifiutavano. Ma com'era possibile? La sera, spogliandosi, non gli era mai capitato.

Già, la sera. Ma non la matina alle sette. Le sue dita, la matina, erano abituate a fare il nodo, non a disfarlo. Poteva essere una spiegazione possibile. Ed era anche il segno che sarebbe stato lungo e difficoltoso abituare il suo corpo a ritmi diversi e insoliti. Il nodo resistette a un ultimo tentativo. Gli venne difficile tirare il respiro. Allora corse in bagno, prese la forbicina per le unghie e lo tagliò, buttando i due pezzi della cravatta nel cestino.

Sentì un tuppuliare alla porta accussì discreto che a momenti non gli parse.

«Sì?»

«Va tutto bene, signore?» spiò timoroso Giovanni.

«Sì.»

«Le ho rifatto il caffè, signore.»

Rifatto. Si era troppo attardato nello spogliatoio e aveva sgarrato i tempi rigorosi delle consuetudini matutine.

Giovanni, andato nello studio per ritirare il vassoio, avendo trovato la tazza ancora piena, si era preoccupato di rifargli il cafè, perché a lui il cafè riquadiato gli faceva bruciore di stomaco. E si era macari azzardato a rivolgergli la parola, pensando a un malore.

Il cammarere era stato istruito fin dal primo jorno che aveva pigliato servizio in casa: mai doveva farsi vedere dal signore, o parlargli, prima che questi avesse bevuto il cafè.

Da quando travagliava in banca gli era venuta questa fisima.

Al risveglio, tutto il suo essere diventava come una monade, così aveva lui stesso definita quella particolare condizione facendo appello ai ricordi scolastici, sfericamente chiusa in se stessa, incapace di aprire un solo minuscolo spiraglio verso l'esterno senza provarne il senso doloroso di una lesione. Una voce, un gesto, un volto lo ferivano. Il suo cervello, così protetto, imbozzolato, poteva dedicarsi completamente ai problemi che avrebbe dovuto affrontare nel corso della giornata, sicché, quando arrivava in ufficio, nella sua testa era chiara, definitiva ogni mossa da fare, ogni decisione da prendere. Appena bevuto il cafè, invece, si sentiva disposto ad accogliere il mondo intero.

Quando ancora dormiva con Adele, raprendo l'occhi manco si voltava a taliarla, persuaso com'era che al solo vederne il corpo addisignato dal linzòlo, il suo cervello sarebbe stato incapace di chiudere ermeticamente la saracinesca con l'esterno. Si susiva quatelosamente per non correre il rischio d'arrisbigliarla e col passo veloce e leggero d'un ladro percorreva i corridoi e le cammere della grande casa che pareva deserta d'altre presenze, dato che il cammarere e la cammarera di allora si erano saputi perfettamente sincronizzare coi suoi spostamenti, trasendo in una cammara appena lui ne era uscito.

Il tempo appiso della casa si rimetteva in moto subito doppo che la persona di servizio – dieci minuti appresso che lui si era chiuso dentro lo studio per bersi una tazzina e mezzo di cafè, la prima zuccherata con un cucchiarino raso, la seconda senza, sfruttando però il residuo zucchero rimasto sul fondo – tuppuliava a leggio leggio:

«Posso portare via, signore?»

«Sì.»

E pareva che la casa ricominciasse a respirare doppo avere trattenuto a lungo il sciato, i mobili ripigliavano a scricchiolare, si sentiva un passo sul parquet cerato scivolare leggermente, lontanissimo si rifaceva vivo il campanello della porta di servizio.

Lui si metteva a controllare i documenti dentro la borsa che aveva preparato la sera avanti e, quando era più che sicuro che c'erano tutti e sistemati nell'ordine voluto, si susiva dando un'ultima occhiata all'enorme scrivania nera di mogano (il catafalco, la chiamava Adele) ereditata dal padre e andava in anticamera, dove il cammarere già l'aspettava con il soprabito di stagione, cappotto, loden o impermeabile, e il cappello in mano. Accostata al marciapiede, già l'aspettava la macchina della banca, la portiera posteriore aperta, l'autista impalato allato.

Quella matina, appena che Giovanni gli ebbe levato via il vassoio dalla scrivania, raprì come al solito la borsa che s'era portata a casa dalla banca, ma che non aveva toccato la sera avanti perché non c'erano documenti sui quali travagliare, ma solo tre lettere il cui contenuto conosceva a memoria e che aveva tenuto conservate nella piccola cassaforte del suo ufficio. Macari qui ne aveva una quasi identica. Si susì, raprì la cassaforte, pigliò le tre lettere, ce le mise dintra e subito, pentito, le ritirò fora, tornò ad assittarsi alla scrivania, le dispose una appresso all'altra e restò a taliarle. Tre lettere anonime. E tutte e tre gli erano state indirizzate in banca.

La prima risaliva a quasi trent'anni avanti.

> Fai quelo che devi farre e che tu lo sai.
> Chi te lo fa fari di moriri picciotto?

Appena gli era arrivata, l'aveva fatta leggere a Germosino, il suo direttore di allora.

«E che significa?»

«È firmata Filippo Palmisano, dottore.»

«Ma che dice! Se è anonima!»

«È come se fosse firmata, mi creda.»

«Ma chi è questo Palmisano?»

Una domanda che si poteva permettere soltanto uno come Febo Germosino, promosso da solo due mesi direttore di filiale e spedito da Firenze a Montelusa.

«È il capomafia locale, dottore. Dicono che ha tre morti sulla coscienza.»

Germosino era di colpo aggiarniato, con la punta del tagliacarte aveva allontanato la lettera.

«La porti subito ai Carabinieri!»

«Vuole scherzare? Palmisano mi fa sparare oggi stesso.»

«Ma che vuole codesto Palmisano?»

«Un'apertura di credito praticamente illimitata. Quindici giorni fa ha vinto la gara d'appalto per la costruzione di un viadotto e l'altrieri ne ha vinta un'altra per...»

«Beh, forse, se le cose stanno...»

«Sono opere pubbliche. Le gare le ha vinte costringendo gli altri concorrenti a ritirarsi.»

«Ma se le ha legalmente vinte...»

«Guardi che il rischio che correremmo è enorme, dato il personaggio.»

«E allora che si fa?»

«Posso procedere a modo mio?»

La sua brillante carriera era cominciata così. Germosino aveva illustrato ai capi il suo coraggio e la sua dedizione alla banca e lui si era guadagnato la nomea di quello che ci sapeva fare, che conosceva l'arte di mediare, che riusciva a risolvere le situazioni più delicate.

La seconda lettera risaliva a due anni doppo che l'avevano nominato ispettore.

> Il sangue di Stefano Barreca
> ricadrà su te e su tuo figlio.

L'aveva certamente scritta il fratello del cassiere della filiale di Albanova che aveva provocato un ammanco di una trentina di milioni, persi tutti giocando d'azzardo nelle bische del suo paese e di quelli vicini. Per non andare in carzaro, si era tirato un colpo. Bonanotti e amen. Che pretendeva il fratello, sottosegretario al Tesoro? Che lui per pietà o per generosità non facesse il dovere suo? Ma macari quell'episodio gli era servito: non solo era un omo che sapeva risolvere le cose difficili, ma era pure capace di non taliare in faccia a nisciuno.

La terza lettera, arrivata doppo tre anni di matrimonio con Adele, diceva:

> Lo sai che hai più corna tu di un crasto? Spia alla tua signora che faceva aieri doppopranzo alle cinco al Motel Regina.

E lui glielo aveva spiato a sua mogliere la sera stessa, mentre cenavano.

«Che hai fatto oggi?»

«Stamattina sono rimasta a casa, poi sono uscita e ho trascorso tutto il pomeriggio con Gianna.»

Gianna, l'amica del cuore, quella che conosceva tutti i segreti di lei, la complice perfetta. Gli passò la gana di fare altre domande, si pentì anzi di averne fatta una. E poi, a che sarebbe servito saperne di più?

Si susì, andò a richiuiri la cassaforte lasciando le lettere sulla scrivania. Mentre stava per tornare ad assittarsi, dette un'occhiata distratta fora dalla finestra. Sussultò e si bloccò.

L'auto della banca era parcheggiata lungo il marciapiede, la portiera era accostata, l'autista addritta allato, pronto ad aprirla del tutto appena l'avrebbe visto comparire dal portone.

Che ci stava a fare? S'accostò quateloso alla finestra, mettendosi in modo che l'autista, se isava l'occhi, non potesse vederlo darrè i vetri.

Forse, nel corso della cerimonia d'addio, aveva stabilito un appuntamento con un suo collega e se l'era del tutto scordato? Verdini, probabilmente? Sì, Verdini, che avrebbe pigliato il posto suo, gli aveva murmuriato che dovevano assolutamente incontrarsi... Ma era sicuro che non avevano detto quando.

C'era poco da stare a pensarci, però. Se gli avevano mandato la macchina, certamente...

Doveva andare a mettersi la cravatta!

E proprio in quel momento vide che l'autista estraeva dalla tasca un cellulare e se lo portava all'orecchio. Doppo, l'uomo chiuì con malagrazia la portiera, trasì al posto di guida, mise in moto e partì. Evidentemente si erano scordati d'avvertirlo che non sarebbe più dovuto venire a prenderlo. S'assittò, taliò di nuovo le lettere. Ma oramà la decisione l'aveva pigliata. Accostò il grande posacenere di cristallo che stava lì per billizza – erano dieci anni che aveva smesso di fumare –, raprì l'ultimo cascione della scrivania, ritrovò una scatola di fiammiferi che stava vicina a un pacchetto di sigarette ancora sigillato nel cellophane, la pigliò, ne addrumò uno, diede foco alla prima lettera.

Cinco minuti appresso nella cammara c'era un fumo fastiddioso e un mucchietto di cinniri nivura dintra al posacenere.

Andò a raprire la finestra per cangiare l'aria e, visto che non passava nisciuno, svacantò fora il posacenere. Doppo tanticchia, richiuì la finestra e tornò ad assittarsi.

Autonomamente, senza che il ciriveddro le avesse dato nisciun ordine, la sua mano mancina si mosse verso la parte alta della scrivania, ma non avendo incontrato quello che ogni matina incontrava, restò sospesa a mezz'aria.

Lui, taliando perplesso la sua stessa mano, si rese conto che aveva fatto la mossa di pigliare i giornali. Che l'usciere gli faceva trovare sempre allo stesso posto. E che in quel momento, assai probabilmente, era Verdini che li stava sfogliando.

I giornali erano, oltre ai due quotidiani siciliani, "Il

Sole - 24 Ore", il "Corriere della Sera", "La Stampa" e "la Repubblica". Lui cominciava sempre con il "Corriere". Era sicuro invece che Verdini avrebbe principiato con "Il Sole".

Più che leggerli, li sfogliava distrattamente, soffermandosi solo sulle pagine economiche e sulla cronaca nera. A parte i necrologi. Che invece leggeva tutti con estrema attenzione.

Cominciò ad agitarsi squieto sulla poltrona, come se la mancanza di quei giornali rappresentasse qualcosa che gli era stata indebitamente sottratta.

A un certo momento non ce la fece più. Avere quei giornali sulla scrivania gli diventò una necessità assoluta e improrogabile. Premette il tasto dell'interfonico e Giovanni gli rispose immediatamente.

«Vada a prendermi i giornali.»

«Gli stessi di ogni domenica?»

«Sì. Ah, Giovanni, ora me li compri tutte le mattine e me li faccia trovare col caffè.»

Squillò il telefono.

Afferrò il ricevitore come un assetato agguanta un bicchiere d'acqua. A quest'ora, in ufficio, aveva già risposto a una quindicina di telefonate.

«Pronto, papà, sei tu?»

Era Luigi, da Londra. S'allarmò, le telefonate di suo figlio portavano spesso qualche carrico spiacevole. Una volta i suoi titoli avevano avuto un crollo, un'altra volta si era fratturato un braccio, una terza era stato pigliato a cazzotti da uno che non conosceva... E sempre usava una voce lamentiosa bisognevole di conforto. Un conforto che lui non era mai stato capace di dargli perché non era stato per niente capace di sostituire, in questo, la madre scomparsa.

«Sì. Ciao, come stai?»

«Stiamo bene. Anzi, benissimo. Ti ho chiamato in banca, ma mi hanno detto che...»

«Da oggi sono un pensionato.»

«Goditi la pensione, papà. Te la sei meritata. Ti volevo dire che tra quattro mesi, oltre che pensionato, diventerai anche nonno.»

Restò letteralmente senza sciato.

Non per la commozione. Che commozione poteva provare all'idea di diventare nonno di un picciliddro che probabilmente non avrebbe mai visto e praticato? Un vero nonno è quello che accompagna il nipote a scuola, lo porta ai giardinetti, lo vede crescere jorno appresso jorno... Era stato lo stupore a togliergli il fiato, perché si era letteralmente scordato che suo figlio si era maritato l'anno avanti. Manco si ricordava del nome della mogliere inglese.

«Che... Che bella... Tua moglie...»

«Jackie sta benissimo. E se ti spercia e vuoi venire a Londra a conoscere tuo nipote, abbiamo una stanzetta per gli ospiti, un letto singolo, e puoi restare quanto ti pare. E ora ti devo lasciare. Ciao, papà.»

«Ciao e salutami...»

Luigi aveva riattaccato. Era ancora tanticchia strammato. Ma subito doppo gli tornò a mente la diplomatica frase del figlio sulla stanzetta degli ospiti con un lettino, che tradotta veniva a significare: non t'azzardare ad arrivare con tua moglie.

Il matrimonio con Adele Luigi non glielo aveva mai perdonato. Figlio unico, sempre troppo attaccato alla madre era stato. E quando Michela era morta, il picciotto era accussì disperato, accussì inserrato nel suo dolore, che lui, per sbariarlo, l'aveva spedito per qualche tempo a Londra, da un suo cugino che travagliava alla City. Era tornato cangiato, più distaccato e spesso come assente, forse a correre darrè un pensiero suo. Doppo la laurea, se ne era partito per Londra e ti saluto e sono.

Prima che lui si maritasse con Adele, invece, non c'era Natale che non s'appresentava a Montelusa. Doppo che lui si era rimaritato, non era più tornato. Lettere rare, telefonate a scadenza trimestrale. A fare giusto il conto, aveva scangiato un figlio per una mogliere. Ci aveva guadagnato o ci aveva perso? Forse, ora che sull'oscillante vilanza Luigi ci metteva il peso di un nipote...

Tuppulìo leggero.

«I giornali, signore.»

Pigliò in mano il "Corriere", ma invece di raprirlo alla prima delle pagine economiche, principiò a leggere i necrologi. Ora se lo poteva permettere, di dare la precedenza agli annunzi mortuari, scorrendo coscienziosamente a uno a uno i nomi che componevano gli interminabili elenchi di tutti coloro che partecipavano al lutto.

La porta dello studio si raprì e apparve, inattesa, Adele. Doveva essersi arrisbigliata allura allura, era in vestaglia e pantofole e sciaurava ancora di letto. Elegantissima e vaporosa, pareva finta, era l'esatta copia di una delle dive americane del bianco e nero.

Da quand'era che non lo veniva più a trovare nel suo appartamento? Anni, di sicuro. Ma quanti? Quattro? Cinque? Ora che aveva appena toccato la quarantina, era addivintata ancora cchiù beddra di quando, dieci anni avanti, se l'era maritata.

Inatteso, provò un lancinante desiderio del suo corpo, ma non si cataminò, non aprì bocca, aspettò che fosse lei a parlare.

«Come va il tuo primo giorno da pensionato?»

«Bene. Siediti.»

«No, devo scappare. Sono...»

Voleva trattenerla e disse la prima cosa che gli passò per la testa.

«Poco fa mi ha telefonato Luigi.»

«Che voleva?»
«Mi ha annunziato che avranno un figlio.»
«Bene. Sono venuta a dirti che oggi devo pranzare con Gianna. Ci vediamo stasera a cena. D'accordo?»
«D'accordo. E Daniele?»
«Daniele mangia alla mensa universitaria.»
Sulla porta lei si fermò, si voltò a taliarlo.
«Guarda che non ti sei messo la cravatta.»
Quando Adele uscì, restò immobile, le narici allargate al massimo, a cogliere il lieve sciauro della sua pelle che ancora si sentiva nello studio.

# II

Ma lui lo sapeva, assai prima che gli arrivasse la lettera anonima. Era stato per caso, proprio a metà del loro terzo anno di matrimonio. Stava andando a trovare uno tra i più grossi clienti della banca, il commendatore Ardizzone, che si era fratturato una gamba e non poteva cataminarsi da casa. Amministratore delegato della maggiore società d'import-export dell'isola, Ardizzone aveva minacciato di cangiare istituto pigliando a pretesto i reiterati sgarbi, secondo lui intenzionali, che aveva dovuto subire da parte della banca. Un pretesto puro e semplice, perché la banca ne avrebbe sofferto assai a perdere un cliente come Ardizzone e mai avrebbe osato la minima malacreanza nei suoi riguardi. Il fatto vero era che al signor amministratore delegato non bastava più quello che la banca per anni gli aveva passato sottomano. E perciò stavolta la trattativa sarebbe stata lunga e difficile.

Ardizzone abitava in una villa fora Palermo, per arrivarci bisognava pigliare una traversa della statale per Catania. Ci era andato da solo con la sua macchina personale, se manco l'autista della banca veniva a conoscenza di quell'incontro era tanto di guadagnato. "La cosa meno saputa meglio arrinesci" faceva un antico modo di dire che lui aveva adottato come norma di condotta bancaria.

Non conoscendo la strada – era la prima volta che andava nella villa di Ardizzone – guidava lentamente. Appena imboccata la traversa, aveva visto, a mano dritta, un motel, sordido e trascurato, con l'insegna "Motel Regina" che pendeva, astutata, tutta da un lato.

E aveva macari visto Adele che, appena scesa con una borsa a sacco dalla sua macchina ferma nello spiazzo d'accesso, si era diretta a passo svelto verso l'entrata del motel, scomparendovi dentro. Per qualche attimo si fece persuaso d'avere equivocato. Ma gli bastò taliare la targa dell'auto per avere la conferma che aveva visto giusto. Immediatamente appresso, un tale malovistuto niscì di corsa dal motel, trasì nella macchina di Adele, la mise in moto, si fermò davanti a un box, raprì la saracinesca col telecomando e affiancò la machina a un'altra, una BMW, che già c'era dentro.

Senza accorgersene, lui aveva rallentato sino quasi a fermarsi. Quando riaccelerò fu costretto, per tenere bene il volante, a passarsi le mano addivintate di colpo sudatizze sopra ai risvolti della giacchetta.

Durante l'incontro con Ardizzone fu abile, accorto, lucido e cortesemente sbrigativo come mai lo era stato prima. Ad Ardizzone, vedendosi cadere a uno a uno con le gambe tagliate tutti gli argomenti che via via portava a sostegno della sua volontà di cangiare istituto, non restò che accettare la ragionevole proposta che gli veniva fatta.

Un'ora e mezza doppo che ci era passato davanti la prima volta, lui si ritrovò nuovamente allo stesso posto.

A mano dritta la strada era costeggiata da una siepe abbastanza fitta e alta di spinasanta. Fece marcia indietro, niscì fora strata passando sopra a una cunetta poco profonda, percorse qualche metro di terra asciutta e dura e fermò, completamente al riparo, all'altezza dell'entrata del motel.

Non c'era nisciuna macchina in vista nello spiazzo, ma era certo che sua mogliere era ancora dentro. Troppo poco tempo era passato, Adele e il suo amante stavano sicuramente ancora a rutuliarsi sopra al letto.

Perché ad Adele un'ora e mezza era bastevole appena per principiare.

«Ma cerca di ragionare, papà! Tra te e quella ragazza ci sono venticinque anni di differenza!» gli aveva quasi gridato Luigi. «Rifletti, santo Dio! Ha la mia stessa età!»

«Pure lei è vedova, come me.»

«Non dire cretinate, papà! Tu sei un vedovo di cinquantacinque anni e lei una vedovella di trenta!»

Angelo Picco, non ancora maritato con Adele, era un picciotteddro trentino quando gli era stato presentato dal Presidente in persona.

«Vorrei che lei lo prendesse come assistente personale in modo che possa imparare tutto da uno con la sua esperienza. Gliene sarò grato.»

Si era informato e aveva saputo che il giovane era il nipote prediletto di un alto funzionario della Banca d'Italia. Per tre mesi se l'era portato appresso, doppo si era fatto capace che non era cosa. Non che Angelo Picco fosse duro di comprendonio, anzi era lesto e intelligente, solo che della banca non gliene importava niente. L'unica cosa che l'appassionava era la motocicletta e tutto quello che ruotava attorno a essa. Possedeva egli stesso una moto potente con la quale arrivava in banca e la posteggiava in modo da poterla vedere dalla finestra del suo ufficio. Ogni tanto s'accostava ai vetri e lanciava fora un'occhiata da innamorato. La scatolina che la banca gli aveva dato, contenente cento biglietti da visita, "Dott. Angelo Picco – Assistente del Condirettore Centrale", l'aveva infilata in un cascione e lì se l'era scordata.

Passati quattro mesi, Angelo posò sulla sua scrivania una partecipazione di nozze e l'invitò al matrimonio. Lui, naturalmente, non ci andò, si limitò a inviargli un regalo. Ricevette in cambio una piccola bomboniera di confetti e un biglietto da visita, "Adele e Angelo ringraziano". Picco ripigliò servizio doppo un mese di ferie matrimoniali e a lui fu subito chiaro che il matrimonio non gli aveva giovato. Era più svagato e distratto di prima. Decise di aspettare che Angelo compisse un anno di travaglio prima di parlarne col Presidente. Un lunedì, che mancava una simanata al compimento dell'anno, reputò che fosse giusto mettere Angelo a conoscenza del giudizio negativo che di lui avrebbe dato al Presidente.

«Mi mandi Picco» disse per interfonico alla segretaria.

«Stamattina non è venuto.»

«Ha telefonato?»

«No. Vuole che m'informi?»

«Sì, grazie.»

Cinque minuti appresso la segretaria gli trasiva in ufficio sconvolta.

«Il dottor Picco è morto stanotte. È andato a sbattere con la moto contro un camion.»

Aveva ritenuto suo dovere andare a fare di persona le condoglianze alla povera ragazza rimasta vedova doppo manco otto mesi di matrimonio. Si trovò davanti a una picciotta di una tale billizza che il dolore e la disperazione del lutto non riuscivano manco a scalfire.

Inguainata in un tailleur nero, i capelli lunghi e

biondissimi raccolti a crocchia e coperti da un velo anch'esso nivuro, era di un'eleganza naturale che pareva persino stonata data la situazione. Durante quella visita, due volte lui dovette distogliere l'occhi dalle lunghissime gambe di Adele che le calze nere rendevano assurdamente irresistibili.

«Lo so da me che Picco non ha avuto il tempo per maturare la pensione. Ma non possiamo lasciare la vedova in mezzo a una strada, ne conviene? Mi raccomando a lei, le stia accanto e trovi un modo di... di...»

«Ho capito perfettamente, signor Presidente.»

La seconda volta che andò da lei, che era passata una simana dalla morte del marito, la trovò vestita esattamente come la prima visita. Ma non aveva il velo in testa e teneva i capelli sciolti sulle spalle. Stavolta però niscì dall'incontro profondamente turbato. Due ore faccia a faccia, perché dovevano affrontare questioni delicate, e non c'era stato gesto, taliata, movimento di Adele che non gli avesse rimescoliato il sangue. Non che lei lo facesse apposta; non c'era, quando lo taliava, nisciun lampo di civetteria nei suoi occhi. Anzi, a osservarli quel tanto che riteneva di permettersi, in fondo poteva ancora scorgervi il riflesso del suo recente e presente dolore. Tanto che per due volte, nel corso del loro colloquio, vide sgorgarvi brevi lacrime.

Il signor Presidente poteva starsene tranquillo: macari se la banca non interveniva, Adele non sarebbe rimasta in mezzo a una strada. Era orfana, ma i suoi, che erano morti in un disastro aereo durante un viaggio di piacere a Honolulu, le avevano lasciato una discreta eredità.

La notte che seguì alla seconda visita, non arrinisci a pigliare sonno pensando continuamente a lei. Faceva lo stesso effetto a tutti gli uomini? Quello che in lei l'aveva maggiormente colpito, a parte la bellezza, era una sorta di malcelata ambiguità. Il castigato, macari se elegante, vestito nivuro non arrinisciva a cancellare la sensualità del corpo che conteneva. Quel vestito, obbligato dalla circostanza, appariva come una camicia di forza che lei aveva voluto autoimporsi. Era stata in ogni momento riservata, composta, quasi distante. Eppure.

Tre mesi doppo la rivide per la terza volta. Era venuta in banca per firmare delle carte, lui era riuscito a farle avere una cifra spropositata. Passato il periodo di lutto stritto, indossava ora un tailleur grigio da donna d'affari, impeccabile, l'equivalente femminile del suo.

Quella volta erano andati a pranzo insieme. E avevano parlato dei rispettivi coniugi scomparsi. Lui le aveva detto d'avere un figlio trentenne che travagliava a Londra. Lei aveva abbassato l'occhi.

«Io non ne avrò mai.»

«Perché dice così? È così giovane! Vedrà che col tempo...»

«Io sono come un deserto. Anche se viene innaffiato, non ci nascerà mai un'oasi. Me l'hanno detto i medici.»

Istintivamente, aveva allora posato una mano sopra alla sua, per conforto. Lei l'aveva di scatto sottratta e si era taliata torno torno. Come se lui avesse fatto qualcosa di sconveniente.

«Mi scusi» aveva murmuriato arrossendo.

«Vuole venire a cena da me la prossima settimana?» gli aveva allora spiato inaspettatamente.

E c'era andato, con un gran mazzo di rose e il cuore che gli batteva forte. Lei si era fatta trovare in aderenti pantaloni di velluto nero e con una cammisa di tipo mascolino, a righe bianche e rosse, con le maniche rimboccate.

«Ho cucinato io. Chissà che è venuto fuori.»

Era venuta fuori una cenetta squisita, condita da un vinello bianco freschissimo e tradimentoso nella sua apparente innocuità. Avevano sempre parlato fitto, con una gran voglia di raccontarsi reciprocamente i fatti più importanti della loro vita. Avevano seguitato a parlare in salotto, assittati vicini sul divano, bevendo whisky di puro malto.

Con la porta già aperta, al momento di salutarsi, lei gli aveva pruiuto una guancia. Lui l'aveva baciata e non era più riuscito a staccare le labbra dalla sua pelle. Allora Adele l'aveva bruscamente scostato.

«Mi scusi... Mi perdoni, Adele, io...»

«Aspetta.»

Lei aveva chiuiuto la porta doppo avere gettato una rapida taliata verso le altre due porte del pianerottolo, si era voltata e si era gettata tra le sue braccia con un impeto tale da farlo barcollare.

No, Luigi si sbagliava. Fin dalla prima volta che era stato a letto con Adele si era fatto persuaso che sì, l'età poteva entrarci in parte, ma che manco un ventenne sarebbe stato capace di tenersi alla paro con lei. Faceva all'amore totalmente disinibita, con foga travolgente, senza nisciuna vrigogna, disposta alla qualunque, senza avere mai gana di smettere. Alla fine di ogni nottata, lui era esausto, lei frisca come una rosa.

Nei primi due anni di matrimonio la sua carriera ci aveva sofferto, aveva fatto due o tre errori che gli erano stati perdonati solo pirchì erano nenti di nenti a petto dell'abbondanza dei meriti, ma il suo fisico no, ci aveva guadagnato. A taliarsi nudo allo specchio, si vedeva come prosciugato, scomparsi i rotolini sui fianchi, tornati sodi i muscoli che avevano principiato ad allascarsi. La giovinezza era contagiosa? No, Adele, oltre all'amore, gli stava non certo regalando una nuova giovinezza, ma condonando qualche anno d'anzianità, questo sì.

La notte, se dormiva quattro ore era grasso che colava. Diverse volte si erano addormentati mentre lo stavano ancora facendo. La matina lui si susiva, non stanco, ma totalmente incapace d'imbozzolare il cervello per concentrarsi sul travaglio che l'aspettava in banca. Perché macari il ciriveddro era tutto occupato da Adele, non faceva che ripassarsi a memoria quello che avevano fatto qualche ora avanti, e la cosa meravigliosa era che quel recente passato, bastava che lo volesse, poteva tornare a essere un immediato presente.

Una matina, che aveva appena finito di farsi la doccia, sentì una specie di lamentìo dalla cammara di dormiri. Era sicuramente Adele che stava facendo un brutto sogno. Entrò nella cammara senza fare rumorata. Adele si era tirata fora dal linzolo e se ne stava stinnicchiata, con l'occhi chiusi e la bocca mezzo aperta, nuda, la schiena arcuata, la mano dritta in mezzo alle gambe e la mancina che passiava da un capezzolo all'altro, mentre il lamentio diventava inequivocabile.

Tornò quatelosamente in bagno. Sul momento, si sentì tanticchia umiliato. Ma doppo, ragionandoci sopra, arrivò alla conclusione che il problema non era suo, ma di Adele.

E con la lucidità che sempre lo aveva governato seppe che, inevitabilmente, sarebbe arrivato un giorno in cui Adele non avrebbe potuto fare altro che tradirlo.

Erano passate tre ore. Sicuramente Adele in quel momento si stava rivestendo. Fu allora che provò l'unica, vera fitta di gelosia. Che Adele si fosse fatta possedere da un altro rientrava, conoscendola, nell'ordine delle cose ineluttabili. Ma che concedesse all'amante macari la possibilità di vederla durante la cerimonia, questo era troppo.

Perché la sua vestizione, alla quale gli era dato d'assistere solo la domenica mattina, era una vera e propria cerimonia che cominciava con una lunga purificazione del corpo. Per lavarsi, adoperava due saponi. Col primo s'insaponava tutta stando addritta davanti al lavandino. Quindi andava a farsi la doccia badando che non le restasse in qualche parte del corpo la minima traccia di schiuma. Quindi, restando sempre sotto il getto, usava il secondo sapone.

Una volta si era azzardato:

«Mi lasci entrare?»

Aveva gana d'insaponarla tutta e dovunque, davanti e darrè, d'abbracciarla stretta per sentirla scivolare contro di sé come un'anguilla.

«Non ti permettere!»

Un ordine secco, dato con un tono irritato che non ammetteva replica. E lui aveva obbedito, limitandosi a taliarla attraverso il vetro opaco del box, assittato sul bordo della Jacuzzi che lei usava raramente. Doppo lei nisciva dalla doccia e s'asciucava taliannosi allo specchio che occupava tutto intero il retro della porta. Gettato a terra il grande asciugamano, pigliava il vasetto di una crema, appositamente preparata in erboristeria, che si spalmava a lungo sui seni. Vedeva i suoi capezzoli durante il massaggio indurirsi e rizzarsi. Ma fin dalla prima volta Adele aveva stabilito che lui poteva assistere al rito senza parteciparvi, come dire, emotivamente. Per questo, per evitare ogni rischio, appena lei gettava a terra l'asciugamano, lui lo raccoglieva e se lo metteva sulle gambe.

Dopo i seni, veniva il turno delle braccia e delle gambe. Prima procedeva alla depilazione delle ascelle con un rasoietto color verde, quindi, presa in mano una lente d'ingrandimento, esplorava millimetro doppo millimetro le braccia e le gambe alla ricerca di qualche pelo inesistente, aveva la pelle liscia come una palla di bigliardo. Se credeva di vederne uno, lo strappava con la pinzetta. Le cerette, che pure aveva, erano del tutto inutili. Quindi, si massaggiava a lungo con un'altra crema personale.

Doppo, assittata sullo sgabello di plastica bianca, coi piedi appoggiati all'orlo della vasca da bagno, le ginocchia flesse, nella mano mancina uno specchietto col manico e nella dritta un piccolo rasoio stavolta rosa, aboliva o riduceva il biondo-rossiccio contorno delle sue parti intime. Con un'altra crema, si massaggiava le natiche e la parte interna delle cosce. Seguiva la pulizia dei piedi che venivano anch'essi spalmati da un altro tipo di crema. Sulle unghie si spennellava qualcosa che le rendeva lucidissime.

Appresso, sempre nuda, passava nella grande camera-spogliatoio che c'era allato al bagno. Lui la seguiva e aveva diritto a uno sgabello. Assittata sul pouf della toilette, si dava una ritoccatina alle sopracciglia e si passava appena appena un rossetto rosa tenue sulle labbra. Non ne aveva nisciun bisogno, ma lo faceva lo stesso. L'unico momento nel quale poteva partecipare al rito era quando lei gli pruiva, senza parlare, la spazzola per i capelli. Addritta darrè a lei, glieli spazzolava per una mezzorata. Doppo tornava al suo posto.

Lei allora si girava dando le spalle allo specchio della toilette e, sempre standosene assittata, arrotolava la prima calza. Appresso, calata in avanti, con i seni tanto sodi da non cataminarsi manco in quella posizione, infilava la punta del piede nella calza e cominciava a srotolarla lentissimamente. E altrettanto lentissimamente isava la gamba via via che la calza risaliva dal malleolo al polpaccio alla coscia. Infine, con la gamba completamente isata come una ballerina, dava l'ultima tirata alla calza in modo che aderisse perfettamente alla pelle senza la minima increspatura. Doppo avere inguainato macari l'altra gamba, si metteva il reggiseno standosene sempre assittata. Si susiva con le mutandine in mano e, per infilarsele, gli voltava le spalle. Doppo spalancava le ante dell'armadio e accomenzava a passiargli davanti, mugolando a bocca chiusa una canzoncina.

Quando decideva come vestirsi, non aveva ripensamenti. Solo che, stranamente, i gesti che faceva per vestirsi risultavano assai più provocanti di quelli di uno spogliarello.

Se indossava per esempio un paio di pantaloni, i sinuosi movimenti del bacino e dei fianchi mimavano spietatamente un altro movimento.

L'uomo malovistuto niscì di corsa dal motel, raprì il garage, tirò fora la BMW e tornò dintra. Doppo manco cinco minuti comparve un negro. Altissimo, si cataminava da atleta. Lo riconobbe perché la sua immagine da tempo compariva nella televisione locale che settimanalmente si dilungava sui trionfi della squadra di basket. Il negro ne era il pivot, ingaggiato a piso d'oro e fatto venire dagli Stati Uniti. Il negro entrò in macchina e partì.

Ma Adele come aveva fatto a conoscerlo?

Si disse che era una domanda cretina. Era passato meno di un anno dal loro matrimonio che Adele era stata eletta presidentessa del circolo della banca, dotato di piscina olimpionica, di due campi da tennis, di un enorme salone per ricevimenti. L'aveva di sicuro conosciuto a qualche festa data in onore della squadra che oramà giocava nel campionato nazionale. In quel circolo lui non ci aveva mai messo piede.

Ma che importanza aveva dove si erano conosciuti?

Adele, tanticchia perché era sua mogliere e tanticchia perché aveva rivelato un'insospettata capacità, col tempo era diventata macari presidentessa del circolo del bridge, di un'associazione benefica ed esclusiva che adunava le signore più in vista ed era macari vicepresidente della società che gestiva la squadra di calcio. Tutte cose che a lui non interessavano minimamente. E del resto lei non gli aveva mai chiesto d'accompagnarla nella sua vita mondana.

Il resoconto delle sue attività era diventato l'argomento principale se non l'unico della loro conversazione durante la cena.

Doppo, davanti alla televisione, non ci sarebbe stato bisogno di parlare.

Passata una mezzorata, l'uomo malovistuto tirò fora la machina di Adele. Lei comparse. Prima, l'aveva vista solo di spalle e, per la sorpresa e lo sgomento, non aveva notato l'abito che indossava. Era vestita come l'istitutrice di un raffinatissimo collegio inglese, gonna a metà polpaccio, scarpe col tacco basso, un'elegante cravatta a fiocco sulla cammisetta nivura a pois bianchi, giacchetta rigorosamente attillata. Non era certo il vestito adatto per un incontro amoroso. La vide trasire in macchina, mettere in moto, partire.

E dunque lei non aveva permesso al negro di assistere alla cerimonia dell'abluzione purificatrice. Gliene fu grato.

«Che hai fatto di bello oggi?»

«Ah, guarda, ho avuto una lunghissima e noiosa riunione all'associazione benefica. È terminata poco fa. Il direttivo si è spaccato in due per stabilire se una signora che tu non conosci dovesse essere ammessa o no come socia. Ho notato come un accanimento verso di lei.»

«Perché?»

«Circolano voci sul suo conto. Pare che tradisca il marito.»
«E se scoprite che una che è già socia tradisce il marito, come vi comportate?»
«Facciamo in modo che si dimetta.»
Ecco perché lei stava così attenta a scegliere il luogo degli incontri. Nessuna delle sue amiche si sarebbe mai sognata di mettere piede in un posto così squallido come quel motel. E la riunione dell'associazione, che di certo c'era stata, ma breve, spiegava il rigoroso vestito. Quella notte, a letto, fu la prima volta che lui si lasciò andare a trattarla con una specie di sorda violenza. Lei, sulle prime, ne fu tanticchia sorpresa, poi sembrò gradire, e molto. Parsero tornati al tempo della luna di miele, con lei che lo cercava ancora e ancora.

Quindi la lettera anonima, che ricevette qualche mese doppo, non costituì per lui nessuna sorpresa. Ma gli fece nascere una preoccupazione.
«Tu sai dov'è il Motel Regina?»
La mano di Adele, che stava portando alla bocca un cucchiaio di vellutata, non tremò.
«No. Perché?»
«Un mio dipendente m'ha detto d'averti vista da quelle parti.»
«Può darsi, dato che non so dove sia questo motel.»
L'aveva avvertita. Che si scegliesse un altro posto più sicuro.

# III

La villa dove abitavano, ereditata da suo padre, l'aveva dovuta difendere con le unghie e coi denti dai continui assalti dei palazzinari che ardentemente la concupivano e offrivano cifre da fare scanto.

Situata quasi al centro della città, circondata da un grande giardino, era l'ideale per costruirvi, dopo averla rasa al suolo, un palazzone di otto e passa piani.

In questa sua difesa aveva trovato un alleato fermo e deciso in Adele. La quale, alla fine del terzo anno di matrimonio, avanzò l'idea di una totale ristrutturazione della casa.

Quando ne parlò la prima volta, erano sei mesi che non dormivano più nello stesso letto.

Per lui, Adele aveva fatto accomodare un cammarino che comunicava attraverso una porticina con l'adiacente cammara da letto dove lei continuava a dormire da sola.

Nel cammarino ci trasivano a malappena un lettino, il comodino e una sedia. Più che altro, una cella.

Se capitava che avevano gana di fare l'amore – i loro rapporti si erano inspiegabilmente diradati pur non perdendo niente della loro intensità – lei l'ospitava assai volentieri nel letto matrimoniale per tutto il tempo che ci voleva, fino al sopraggiungere della stanchezza, ma doppo, al momento di pigliare sonno, doveva trasferirsi, non c'erano santi.

«Tu russi così forte che sembri un aereo che sta decollando. Non mi fai dormire.»

«Ma quando ci siamo maritati non russavo?»

«Sì, ma lo facevi in modo sopportabile.»

«Sarà l'età.»

«Non credo.»

Mai gli aveva fatto pesare la differenza d'anni che c'era tra di loro. Mai gli aveva spiato, doppo una nottata di mattane:

«Ti senti stanco?»

E macari in tutto il resto della loro vita in comune lo trattava come un coetaneo.

Forse Adele gli aveva fatto allestire il cammarino perché era lei a cominciare a sentirsi stanca degli incontri fora di casa e voleva la notte ripigliare energia senza avere nisciuna tentazione allato?

Sicché, quando lei, una sera a cena, aveva avanzato la proposta di ristrutturare la villa, lui non ne era rimasto in fondo sorpreso. Una richiesta che s'aspettava da tempo. Ma ebbe la certezza che Adele ne avrebbe approfittato per ottenere un suo ulteriore allontanamento.

«Tu non puoi continuare a dormire in quello stanzino.»

«Perché?»

«Metti conto che ti viene un'influenza e che devi restartene per qualche giorno a letto, io mi vergogno che il medico, o chi ti verrà a trovare, ti veda confinato lì. Chissà cosa penserebbero, quale cortiglio si metterebbero a fare coi nostri conoscenti. Se una cosa così la venisse a sapiri la gente...»

Era ossessionata dal fare cattiva impressione alla gente.

«Ma che te ne importa?»

«M'importa. Io ci tengo a essere considerata una persona rispettabile, come del resto sono. Figurati! E tu stesso saresti ridicolizzato. E poi considera quanto ci staresti a disagio dintra a quel cammarino se dovessi starci tutto il giorno. Soffocheresti. D'altra parte, io ho bisogno di spazio per ricevere gli amici o per fare qua delle riunioni. Con la villa in questo stato, non posso mai invitare nessuno.»

Insomma, motivi umanitari per lui e motivi mondani per lei. La sua resistenza non durò manco una simanata.

Adele si affidò a un giovane astro nascente dell'architettura e rimase sul posto per seguire i lavori da vicino. Lui non trovò altra soluzione che trasferirsi in un residence. Quasi ogni sera però Adele lo raggiungeva, andavano a cena insieme al ristorante e lei, eccitata, lo ragguagliava sullo stato dei lavori.

E tre o quattro volte, per dimostrargli la sua gratitudine, acchianò con lui nella stanza e ci restò tutta la notte.

Quando finalmente i lavori ebbero termine e lui si trovò a visitare la villa con la guida dell'architetto e di Adele, dato che gli era stato proibito di metterci piede mentre la ristrutturazione era in corso («Voglio che tu la veda a cose finite, vedrai che bella sorpresa!»), si fece immediatamente capace di due cose: primo, che il travaglio era stato fatto indubbiamente con gusto e intelligenza, tanto che da fora la villa pareva quella di sempre ma ringiovanita, e secondo, che sua mogliere non si era lasciata scappare il giovane astro nascente. Si erano traditi dal modo con cui stavano l'uno allato all'altra mentre che gli parlavano: i loro fianchi, senza che lo volessero, si cercavano fino a sfiorarsi.

Al piano terra c'erano ora una grande cammara di mangiare, la cucina e un grandissimo salone, con ampie portafinestre liberty che si aprivano sul giardino. Il piano di sopra, al quale si poteva accedere anche dall'esterno con una scala situata nella parte di darrè, era stato diviso in due appartamenti, uno più grande e uno più piccolo. Quello destinato a lui comprendeva la stanza da letto, un bagno, lo spogliatoio, lo studio e una cammara per gli ospiti.

Quello di Adele aveva una cammara e un bagno in più.

I due appartamenti erano comunicanti attraverso una porta che, per ordine di Adele alla servitù, doveva stare sempre chiusa ma della quale lei gli consegnò solennemente la chiave fin dal primo giorno.

«Te ne puoi servire quando vuoi» gli murmuriò all'orecchio dandogli una rapida leccatina al lobo con la punta della lingua, tanto perché fosse chiaro quello che intendeva dire.

La scala di darrè continuava fino all'appartamentino della servitù, Giovanni e sua mogliere Ernestina, che era separato dal resto dell'enorme terrazzo da un alto muretto. Adele aveva fatto attrezzare il terrazzo, al quale si poteva accedere macari da una scala interna, in modo da potervi dare dei ricevimenti nelle sere estive. Per adornarlo di piante e fiori aveva assoldato lo stesso giardiniere che si era occupato del giardino facendolo addivintare uno splendore.

La prima notte che passarono nella villa ristrutturata, Adele volle levarsi lo sfizio di raggiungerlo nel suo letto.

«Mi piace incignarlo assieme a te.»

Per un attimo, nella testa di lui passò il pinsero che il letto lei l'avesse già abbondantemente incignato col giovane astro nascente, ma subito doppo la ritrovata passionalità di Adele lo travolse, un fiume in piena che straripava gli scancellò ogni capacità di pensare.

A parte che ad Adele ogni letto che non fosse il suo, quello di un albergo durante le vacanze o quello del residence, pareva scatenarle la fantasia.

Erano oramà tre anni che non usava più quella chiave e manco Adele usava la sua. Però, ogni domenica matina, trovava la porta chiusa sì, ma non a chiave. Era un chiaro segnale: se lo voleva, poteva trasire nell'altro appartamento e assistere al cerimoniale del lavacro e della vestizione.

E fu appunto una domenica matina che Adele, in mutande e reggiseno, arrivata al momento della scelta del vestito, raprì una parte dell'armadio che mai le aveva visto raprire e ne pigliò uno a colpo sicuro.

Lo riconobbe immediatamente, perché dei primi suoi incontri con Adele conservava una memoria lacerante, macari del più piccolo dettaglio. Era quel tailleur grigio da donna d'affari che aveva indossato appena passato il lutto stritto, quando era venuta a trovarlo in banca per firmare i documenti e doppo erano andati a mangiare per la prima volta insieme. Quando lei gli aveva detto d'essere sterile. Da allora, non glielo aveva più visto addosso.

Perché lo tirava fora ora?

Come se avesse indovinato la sua muta domanda, lei, mentre muoveva il bacino a piccoli colpi per infilarsi la gonna, disse:

«Ieri sera zia Ernestina mi ha telefonato da Bagheria che zio 'Ntonio sta morendo. Lo vado a trovare. Ha pochi giorni di vita. Ci faccio un salto e poi torno perché ho una riunione del direttivo.»

Zia Ernestina e zio 'Ntonio, che non avevano figli,

se l'erano pigliata in casa quando, a quattordici anni, era rimasta orfana.

A stare a quanto lei gli aveva contato, l'anno appresso, il jorno che aveva compiuto quindici anni, le avevano fatto una doppia festa: all'ora di pranzo, tornando da scuola, aveva trovato una torta con le candeline e un bel vestitino novo novo. Questa era stata la prima festa. La seconda, più intima, gliela aveva fatta lo zio 'Ntonio approfittando che la mogliere era nisciuta e sarebbe rimasta fora tutto il doppopranzo.

«Ma tu non ti sei minimamente insospettita quando ti ha chiesto di salire in soffitta con lui?»

«Certo che sì. Non ero scema nemmeno allora.»

«E ci sei andata lo stesso?»

«Sì.»

«E che è successo?»

«C'era una brandina con un materasso arrotolato.»

«L'ha srotolato?»

«No, l'ha buttato a terra.»

«Perché?»

«Non so, forse si scantava che si macchiava e la zia...»

«Tu che facevi, intanto?»

«Lo guardavo.»

«E poi?»

«E poi mi ha fatto stendere sulla brandina, mi ha fatto alzare le gambe e mi ha sfilato le mutandine. Vuoi altri particolari?»

«Mi bastano. Com'è che non ti sei ribellata?»

«Boh.»

«Perché?»

«Mah, forse perché m'è parsa una cosa ineluttabile. Sapevo che prima o poi... Era da qualche mese che ci provava.»

«E quant'è durata?»

«Un annetto, circa.»

«Sempre nella soffitta?»
Lei arridì.
«No. Non c'era più scanto di macchie compromettenti. Nel suo letto, nel mio, dove capitava. Oppure in piedi.»
«E com'è finita?»
«Ho conosciuto un ragazzo, mi sono innamorata e non ne ho più voluto sapere di continuare.»
«E lui?»
«S'è dovuto rassegnare, poverino.»
Poverino.
E ora lei lo andava a trovare in punto di morte indossando il vestito adatto alla circostanza. Perché era chiaro che quel tailleur lei l'usava solo come doppo lutto stritto o come pre lutto.

Quando lei gli aveva detto che non si era ribellata alla violenza dello zio perché riteneva la cosa ineluttabile, aveva adoperato questa precisa parola, lui aveva sentito che in quel momento le loro due orbite, che parevano seguire ellittiche sideralmente diverse, si erano, di colpo e per un istante, avvicinate.
Nei matrimoni, doppo qualche tempo, spesso avviene una sorta di misteriosa comunanza, complicità o quello che è, che porta marito e mogliere a vedere e a giudicare le cose allo stesso modo. Anche lui aveva lucidamente previsto il tradimento di lei e, quando si era avverato, non aveva reagito. Si era semplicemente arreso, come Adele, all'ineluttabilità.

Negli ultimi tre mesi però, la porta di comunicazione l'aveva trovata inesorabilmente chiusa. Accussì aveva capito d'essere stato escluso macari dalla cerimonia.
«Mi spieghi perché non mi fai più trovare la porta aperta?»

«Sai, Daniele, poverino, la domenica mattina dorme fino a tardi. Non vorrei che lo disturbassimo. Smette di studiare che è notte fonda. Porta ancora un po' di pazienza. Appena se ne andrà...»

Daniele.

Una sera, mentre stavano a taliare la televisione, lei gli aveva spiato:

«Ti dispiace se per qualche tempo ospito un mio nipote che si è iscritto all'università?»

Era una domanda pro forma. Macari se avesse detto che gli dispiaceva, Adele se lo sarebbe pigliato in casa lo stesso, contandogli qualche farfantaria solenne.

«Hai un nipote?!»

«Oddio, non è un nipote nipote. Sai come siamo noi in Sicilia con le parentele. È il figlio di mia cugina Adriana che abita a Polizzi. Non te la ricordi? È venuta al nostro matrimonio. Sono andata a trovarla la settimana scorsa, te l'ho anche detto. Adriana mi ha esposto il suo problema e io che potevo fare? Le ho detto che per poco tempo potevo ospitarlo. Il ragazzo si chiama Daniele. Io ho una camera in più. Non mi darà nessun fastidio. Lo posso mettere lì, tanto sono sicura che con noi ci starà poco.»

«Chi te lo dice? Può darsi che si trovi così bene che...»

«Ma dài! Ha diciannove anni! Vorrà la sua libertà. Forse ha una fidanzatina che non oserebbe mai portare a casa nostra. Si dovranno contentare di farlo nella sua Cinquecento, poveracci. Comunque Adriana mi ha giurato che appena trova una sistemazione decente, suo figlio sgombra.»

«Che studia?»

«Legge.»

«Quando arriva?»

«Ancora non lo so. Me lo telefonerà Adriana.»

Ogni appartamento era dotato di una linea telefonica propria. Un martedì sera, che era appena tornato dalla banca, sentì squillare il telefono dello studio. Era Adriana, la cugina di sua mogliere, chiamava da Polizzi.

«Scusami se ti disturbo, ma ho cercato Adele tutto il giorno e non sono mai riuscita a trovarla. Tu hai idea dove possa essere?»

«No. Ma se richiami di là tra un'oretta sicuramente la trovi.»

«Tra un'ora mi sarà difficile. Posso lasciare detto a te?»

«Certamente.»

«Volevo avvisare Adele che Daniele viene da voi domani pomeriggio.»

«Bene.»

«Ah, senti, desideravo ringraziare anche te per la tua cortese disponibilità. Io non avevo nessunissima intenzione di darvi tanto disturbo, ma è stata Adele a propormi questa soluzione momentanea ed ha insistito tanto che non ho saputo dirle di no.»

La facenna, dunque, era andata in modo tanticchia diverso da come gli era stata presentata. E appena aveva visto il cosiddetto nipote, aveva capito il motivo per cui Adele se l'era accaparrato.

Era un beddro picciotto, Daniele, avuto, biunno, occhi azzurri, fisico da atleta. Indubbiamente con Adele aveva in comune un'ariata di famiglia. Ed era macari educato, discreto, riservato. Dato che ad Adele la chiamava zia, lui addivintò, di conseguenzia, lo zio.

Evidentemente Daniele, mischino, non era però arrinisciuto a trovare una sistemazione decente pirchì erano mesi e mesi che sinni stava da loro e non gli passava manco per l'anticammara del ciriveddro di traslocare.

Sul perché la porta ora fosse sempre chiusa non ebbe il minimo dubbio fin dal momento che notò la cosa.

Tuttavia ne volle conferma.

Un sabato, verso le tre di notte, si susì, andò nello studio e pigliò la chiave che teneva nel primo cascione della scrivania. Ma la chiave non trasiva interamente nella serratura della porta di comunicazione, urtava contro un ostacolo. La spiegazione la trovò subito: Adele aveva chiuso la porta lasciandovi dentro la chiave o per abitudine o perché lui non fosse in grado di aprirla dalla sua parte.

Insistette un'ultima volta, cercando di fare la minima rumorata possibile. E tutto a un tratto la chiave non incontrò più resistenza, penetrò tutta e lui poté aprire. La chiave di Adele era caduta per terra, sulla moquette del corridoio. Avanzò quatelosamente, alla luce di una lampada notturna che sua mogliere voleva sempre accesa, aveva scanto dello scuro fitto. Tutte le porte erano chiuse. Accostò l'orecchio a quella della cammara di Daniele e sinni stette per un pezzo accussì. Non sentendo nisciun suono, girò la maniglia e raprì tanticchia: il letto del picciotto era intatto.

Ma non stava a significare nenti, capace che non era ancora rientrato. Allora caminò ancora e accostò l'orecchio alla porta della cammara un tempo matrimoniale. Subito udì l'ansimare armalisco di lei inframmezzato dalla litania dei sì... sì... sì... e Daniele che le diceva:

«Voltati.»

Sinni tornò nel suo appartamento, lasciando la chiave per terra e chiudendosi la porta alle spalle.

Ecco perché ora gli era negato l'accesso domenicale: Adele si scantava di essere sorpresa ancora a dormire tra le braccia del suo giovanissimo amante. Che non russava, forse. O forse non ancora.

Comunque, scegliendo di avere in casa il mangime per il suo pititto, piuttosto che andarselo a cercare fora, lei aveva fatto una cosa di buonsenso. Non correva il pericolo di essere vista in qualche lordo alberghetto di periferia. Oppure, sempre affamata com'era, continuava ad avere una mangiatoia macari da qualche altra parte? Non era un'ipotesi da scartare.

Una sera che Daniele non mangiava con loro, Adele esordì con una domanda precauzionale.

«Non ti arrabbi se ti dico una cosa?»

«No, figurati, dimmi.»

«Ho rinnovato il guardaroba di Daniele.»

«Ne aveva bisogno?»

«Beh, sì. Sai, qualche volta si trova a passare dal salone mentre ho una riunione, lo devo presentare alle mie amiche, cosa penseranno di me se lascio andare mio nipote in giro come uno straccione?»

«Oddio, non mi pare proprio che Daniele si vesta come uno straccione.»

«Però non ha i vestiti adatti.»

«Glieli hai fatti fare dal mio sarto?»

«Non ti preoccupare. Li ho comprati già confezionati. Oggi nei negozi si trovano cose ben fatte. E poi a Daniele, col fisico da indossatore che si ritrova, qualsiasi cosa gli cade bene.»

I vestiti adatti come quelli che aveva lei. Dunque voleva che macari Daniele avesse il vestito per accompagnarla in chiesa a mezzojorno, il vestito per presentarsi con lei nel salone, il vestito per accompagnarla a teatro...

«Non potevi dirlo a sua madre?»

«L'avrei messa in imbarazzo, poverina. Non è che se la passino tanto bene.»

Ma perché glielo aveva confessato?

A Daniele poteva accattargli un intero magazzino e lui non se ne sarebbe addunato, o avrebbe pensato che l'avevano rifornito da Polizzi.

Quinnici jorni appresso ebbe la spiegazione del perché sua mogliere gli aveva parlato della compera dei vestiti. Era stata una specie di andata in avanscoperta per saggiare le sue reazioni.

«Sai, Daniele non ce la faceva più ad andare avanti con quella sua Cinquecento scassata. Si è comprata una macchina nuova, giapponese, piccolina, una...»

«Glieli hai dati tu, i soldi?»

«Sì» fece lei arrussicanno leggermente.

Era la prima volta che la vedeva arrossire.

Se ne preoccupò. Forse che il picciotto si era stuffato della facenna e lei, che se ne era innamorata, voleva tenerselo ancora stritto facendogli regali? E capace che la matina gli faceva trovare un rotolino di banconote nel taschino della giacchetta.

O si trattava solo di quel senso d'insicurezza che di solito coglie le fimmine quarantine?

Quella sera, al momento di salutarsi, lei gli murmuriò all'orecchio:

«Posso venire da te più tardi?»

Era il suo modo di dimostrargli riconoscenza perché non si era arrabbiato. Per grazia ricevuta.

«Andiamo nella nostra camera» propose lui.

«No, mi scanto che Daniele ci sente.»

Ebbe la tentazione di farle trovare chiusa la porta di comunicazione e con la chiave bene infilata nella serratura. Ma gli durò un momento. Non poteva assolutamente privarsi di quel grande regalo inaspettato.

# IV

Si susì per raprire la finestra dello studio.

Cominciava a fare un cavudo estivo, e ancora non erano manco a metà maggio.

Dove avrebbe risolto quest'anno Adele di passare le vacanze?

Intanto lui non aveva più il problema di stabilire in anticipo la data e la durata delle ferie per comunicarle all'ufficio personale entro una certa scadenza. In genere, erano cose che decideva insieme ad Adele, ma lei, dopo che lui ne aveva data comunicazione alla banca, quasi sempre cambiava idea ventiquattr'ore appresso.

«Non possiamo ritardare la partenza di una decina di giorni?»

Certo che lo potevano, ma veniva a significare, oltre a doversi subire la scattìa del cavudo in città, di starsene per dieci jorni a passare la vacanza nel loro giardino o in terrazza. Ma in fondo in fondo non è che la facenna gli sarebbe tanto dispiaciuta.

L'altro cangiamento d'idea capitava il jorno avanti la fine della vacanza:

«Non potremmo trattenerci qua ancora una settimana?»

E chi glielo andava a contare alla banca?

Ora questo problema non c'era più, lui era libero di

fare e disfare e conto non aveva da dare, avrebbe potuto seguire il capriccio di Adele.

Comunque, non si trattava mai di scegliere tra spiaggia e montagna, sua mogliere non reggeva di stare a un'altizza superiore ai duecento metri. La scelta era limitata dunque alla località balneare, sicuramente non italiana. Lui si scantava a volare. Lei, appena che l'aereo acchianava in quota, s'addrummisciva di colpo. Capace di partire dormendo e di arrivare dormendo, facendosi quindici ore filate di sonno.

La località dove andare a passare la vacanza non era in realtà scelta da Adele, ma era la diretta conseguenza di quello che sentiva dire alle amiche del circolo del bridge:

«Questa estate sono andata in un'isoletta delle Seychelles che...»

«Non ce n'è come le Canarie!»

«C'è un albergo sul mare a Cuba...»

Quasi mai avevano fatto le vacanze da soli. Partivano in compagnia di qualche altra signora del circolo e del marito, ora la vicepresidente Agata Locurto e marito, ora la tesoriera Maria Trizzino e marito, ora la marchesa Arduino della Troffa e marchese marito...

Le socie del circolo erano carampane sissantine truccate da quarantine, carriche di fondotinta, rossetto e gioielli, vogliose d'esotiche seduzioni e di massaggi particolari; i loro mariti, direttori generali, imprenditori, onorevoli, o semplici bastardi che erano arrinisciuti a farsi i soldi non si sa come, non erano da meno: tutti volevano apparire picciotteddri trentini. E quindi ginnastica quotidiana, chilometriche caminate sulla spiaggia, palestra, sauna, massaggi, straminii vari.

Lui non partecipava mai.

«Possibile che non riesci a socializzare?» gli spiava immancabilmente Adele facendo il muso.

Già il verbo stesso gli provocava un gran giramento di cabasisi.

Oltretutto a lui il sole faceva male. Aveva la pelle delicata come tutti quelli rossi di pelo. Dieci minuti di esposizione ai raggi solari lo riducevano gemello di un'aragosta. Se ne stava sotto l'ombrellone, ingrugnato, e bastava il riverbero del calore dalla sabbia per arrostirlo a foco lento. Doppo un certo tempo, il sudore gli cominciava a evaporare dalla pelle. Quando mancava un quarto d'ora al rientro in albergo, correndo sulla punta dei piedi perché la rena ardeva, si gettava a mare. Ma quel tanticchia di refrigerio che provava non era bastevole a fargli superare il tratto di spiaggia che lo divideva dall'albergo.

Arrivava nella sua cammara stremato, e si gettava dintra alla vasca da bagno mentre Adele occupava la doccia. Nei primi tre anni di matrimonio, appena la matina rientravano in albergo dalla pilaja, prima del bagno e della doccia, c'era da fare una variante, un joco, inventato da Adele, che si chiamava "la rinfrescata delle zone bianche".

Sua mogliere si levava il costume e lui doveva rinfrescarle, leccandole, tutte le parti che non erano state esposte al sole, previa messa in bocca di un cubetto di ghiaccio prelevato dal frigorifero della cammara. Doppo, i ruoli s'invertivano. Quasi mai arriniscivano a portare a termine il joco.

Ma la sera c'era l'altro tormento.

Non sapeva ballare, non sapeva giocare né a carte né a nisciun altro joco. Non sapeva contare barzellette, arrinisciva sì e no a vivirisi due whisky. Se superava la dose, gli viniva il malo di testa.

«Il mio orso» diceva Adele abbracciandolo con un sorriso tra l'amoroso e il compassionevole.

Il contegno di sua mogliere durante le vacanze era irreprensibile, sempre *compos sui* macari quando ballava. E la sua billizza illuminava la pista chiossà di un riflettore.

In spiaggia indossava spesso costumi completi, rare volte bikini, ma sempre piuttosto castigati. Non gli passava manco per la testa di mettersi in topless, la giudicava cosa sconvenientissima. E dire che aveva in dotazione un paro di minne che avrebbe fatto svenire tutti i mascoli presenti. Mai una gonna sopra il ginocchio, era la leggerezza del tessuto a fare frisco, non la sua riduzione ai minimi termini. E continuava a mettersi il prendisole quando nisciuna fimmina lo portava più.

Certo che le facevano la corte, ma lei sapeva come tenere tutti con molta grazia a distanza.

Durante la vacanza, lui godeva del beneficio di essere l'unico uomo a portata di mano di Adele. E aveva macari il permesso di assistere alla cerimonia tutte le matine, non solo la domenica. Era una cerimonia abbreviata, dato che in albergo c'era la metà delle cose che adoperava a Palermo, ma la minore quantità delle creme finiva coll'essere bilanciata dal maggiore impegno dell'officiante.

Era sicuro che aveva tentato di tradirlo una sola volta, quando erano andati a fare le vacanze nell'isola di Gauguin.

Erano partiti con un'amica di Adele e suo marito. Nel ristorante dell'albergo un jorno videro trasire un inglese quarantino, alto, un bell'uomo, vestito con molta eleganza, dall'ariata trasognata. Con lui non c'era nisciuna fimmina. Sinni stava appartato, portandosi sempre appresso un taccuino sul quale, ogni tanto, scriveva qualcosa. Non faceva il bagno, la matina se ne partiva per l'interno dell'isola. Vennero a sapere che era un importante poeta, venuto lì perché voleva scrivere una specie di biografia in versi del pittore.

Quando trasiva nel ristorante, salutava tutti e nisciuno con un cenno della testa, un inchino ridotto ai minimi termini. Lo stesso faceva quando nisciva. Non rivolgeva mai la parola a nisciuno. Ogni tanto però non poteva fare a meno di perdersi a taliare Adele. La quale però, macari se percepiva lo sguardo di lui, non isava mai l'occhi dal piatto.

Quattro jorni prima che la vacanza finisse, l'amica di Adele ricevette una telefonata: sua madre stava male, doveva rientrare immediatamente. Se ne partì l'indomani a matino col marito.

Fu, per Adele, come un segnale di via libera. Quel jorno stesso, quando il poeta fissò l'occhi sopra di lei, isò la testa dal piatto e ricambiò la lunga taliata. Lui, tanticchia imbarazzato dalla sfrontatezza di sua mogliere, fece finta di essere assorto nella lettura del menu.

La sera, quando scesero al ristorante, trovarono l'inglese che stava per cominciare il secondo piatto. Tra lui e Adele ci fu un'altra lunghissima taliata. Senonché, finito che ebbe di mangiare, l'inglese si susì e, invece di nescirisinni fora a fumare la pipa come sempre faceva, s'accostò al loro tavolo, pruì loro la mano presentandosi, disse che sarebbe ripartito l'indomani mattina e che voleva salutarli. Lui l'invitò ad assittarsi, ma l'inglese rifiutò con gentilezza e se ne andò.

Stavano aspettando che servissero la seconda portata, quando Adele disse:

«Non ho più appetito. Tu resta pure, io vado in camera nostra.»

E lui le lesse nell'occhi quella determinazione, a un tempo fredda e ardente, che conosceva assai bene.

Per lei era un'occasione ideale, lontana dall'occhi

indiscreti della sua amica e del marito, con un momentaneo compagno di letto che non avrebbe mai più avuto modo di rivedere.

Lui, per finire di mangiare, ci mise apposta un'orata. Doppo si susì e si diresse verso la loro cammara sicuro che lei non c'era e curioso di sapere quale scusa avrebbe trovato per giustificare doppo la sua assenza.

Invece la trovò a letto, nuda e con una voglia travolgente.

Possibile che si era sbagliato?

L'indomani mattina spiò al portiere se l'inglese era partito. E il portiere rispose che sì, *purtroppo* il mister era partito. E dicendo quel purtroppo aveva taliato allusivamente a un cammarere vintino, tanticchia tozzo ma con certi muscoli da fare scanto, che se ne stava lì vicino con ariata abbattuta.

Ma allora, se l'inglese era gay, pirchì aveva taliato ad Adele in modo tale da farla cadere in un comico equivoco?

Forse pirchì era un poeta, e i poeti amano ammirare la bellezza.

Tuppulìo leggero.

Sussultò, si era perso darrè ai suoi ricordi, faticò a ritrovare la strata del presente.

«Sì?»

«Il pranzo è servito, signore.»

E accussì era trascorsa la sua prima matinata da pensionato.

Per fare passare tempo mangiò tutto, macari se non aveva tanto pititto, e con estrema lentezza. Se pensava ai jorni che l'aspettavano, si scantava. Come avrebbe potuto impiegarli?

Vedeva il futuro come una specie di buco nero,

completamente vacante d'ogni cosa, che avrebbe dovuto in qualche modo riempire per non esserne inghiottito.

Doveva cominciare a organizzarsi, e da subito.

Per esempio, che senso c'era a mangiare da solo in quella grande sala da pranzo dove tutto sparluccicava e che pareva pronta per una ripresa cinematografica?

«Ernestina, se un'altra volta capita che debbo pranzare o cenare da solo, preparatemi un tavolinetto su, nello studio.»

«Come vuole il signore» disse la cammarera senza entusiasmo.

Perché questo significava che lei avrebbe dovuto farsi quattro o cinque volte la scala che dal piano terra portava al primo piano.

L'abitudine della dormitina pomeridiana non l'aveva mai potuta pigliare a causa degli orari di travaglio. C'erano suoi colleghi che riuscivano ad appinnicarsi per dieci minuti, chiudendosi a chiave nelle loro stanze. Ma a lui dieci minuti non sarebbero bastati certamente.

Nei primi anni di matrimonio, qualche volta, di domenica doppo mangiato si andavano a corcare, non certo per dormire.

Perché non provarci?

Andò nella cammara di letto, si spogliò, si corcò.

Ma capì subito che non si sarebbe addrummisciuto, non ci era abituato. Però, se non altro, sarebbe stato un buon modo per far passare il tempo. Questo era il vero problema da risolvere: come impiegare il tempo. Una mesata prima d'andare in pensione, aveva per caso incontrato a Filippo Condorelli, un suo ex collega che si trovava in pensione già da un anno e passa.

«Come te la cavi, Condorelli?»

«Benissimo.»
«Che fai tutto il giorno?»
«Io e mia mogliere non abbiamo un momento libero.»
«Davvero? Come mai?»
«Sai, mia figlia Angela lavora, suo marito macari e accussì i loro due figli piccoli ce li portano la matina e vengono a riprenderseli la sera. Sono un amore. Aspetta che te li faccio conoscere.»
E aveva tirato fora dal portafoglio una fotografia mentre l'occhi gli sparluccicavano d'orgoglio nonnisco.
A meno di trasferirsi a Londra, lui non aviva sottomano nisciun nipote da accudire.
Di una cosa era però sicuro: non sarebbe finito su una panchina dei giardinetti a leggere il giornale mentre il suo cane isava la gamba contro ogni arbolo che incontrava.
Non aveva manco l'abitudine di leggere libri. Adele, sì.
In casa c'erano due librerie.
La prima, molto grande, di rappresentanza, stava nel salone. Per riempirla, sua mogliere s'era firriata prima qualche libreria antiquaria scegliendo i libri a secondo dello stato di conservazione della rilegatura e accussì era riuscita a occupare i primi due ripiani in alto, poi aveva ordinato alla Mondadori tutti i Meridiani, che facevano una bellissima figura, e tutte le opere complete di ogni autore di cui era stato possibile raccogliere le opere complete. In un ripiano a parte ci stavano quei libri di enorme formato, illustratissimi, dei quali la banca faceva omaggio ai clienti più importanti e che trattavano dai mosaici di Monreale alla pittura su vetro ai paladini dell'opera dei pupi alle sponde dei carretti siciliani...
La seconda libreria era costituita da tre mensole una sopra all'altra nello spogliatoio di Adele. Ogni

tanto lei accattava un libro e se lo leggeva coscienziosamente. Alla fine, dava il suo giudizio impiegando una di tre formule, sempre le stesse:

«Mi è piaciuto.»

«Non mi è piaciuto.»

«Non ci ho capito niente.»

Ah, sì, c'era macari la libreria del suo studio, ereditata con tutti i libri assieme alla scrivania. Non l'aveva mai aperta. Annate su annate della "Gazzetta Ufficiale" e poderosi tomi di legge.

Poteva sperimentare la lettura. Non ci avrebbe perso niente. Tra i libri di Adele forse ne avrebbe trovato almeno uno interessante.

No di certo tra quelli che erano piaciuti a lei. Perché si trattava di melensi romanzi d'amore, bastava leggere il titolo o taliare il disegno di copertina per farsene capaci.

E poi, a conferma dei suoi gusti, c'era la quasi sicura sciarriatina serale per scegliere il film da vedere in televisione.

Lei avrebbe voluto vedere solo film che contavano di grandi e disperati amori romantici, preferibilmente in costume.

A lui questi film invece gli facevano calare il sonno, gli piacevano quelli polizieschi ambientati ai nostri giorni. Con sparatorie che non finivano mai e morti ammazzati a ogni cinco minuti.

Gli era concesso di vederli solo due sere a settimana, le altre invece sul piccolo schermo comparivano crinoline, tramonti sul mare, baci castissimi in riva a un lago...

Se durante uno dei film che piacevano a lui c'era una scena di sesso, Adele principiava a murmuriare, scandalizzata:

«Io non capisco queste attrici come fanno a...»

«Ma non si vergognano?»
«Lo stanno facendo sul serio?!»
«Scene così dovrebbero essere proibite!»
Qualche volta si alzava esasperata:
«Quand'è finita questa scena, mi chiami. Non la reggo. È indecente.»
E macari in quel momento i due protagonisti stavano facendo una variazione che da lì a poco pure loro avrebbero fatto. Perché Adele, a farla, non avrebbe avuto nulla da ridire, anzi.

Ma quei romanzi e quei film che prediligeva le avevano mai insegnato qualcosa? Ne dubitava. Perché quei film e quei romanzi parlavano, sia pure in modo ora rozzo ora ingenuo, di un sentimento che in Adele non era mai esistito.
Non glielo aveva detto lei stessa quando si era paragonata a un deserto ch'era inutile innaffiare? Certo, in quel momento si riferiva al fatto di non poter avere figli. Ma la sterilità non era solo del suo grembo.
Era lei, nella sua interezza, a essere sterile, arida.
E questa era la non piacevole conclusione alla quale era arrivato doppo dieci anni di matrimonio.
Ma avrebbe dovuto capirlo già da molto prima, macari perché lei non faceva nulla per ammucciare la sua natura o per parere almeno tanticchia diversa da quella che era.

«Come hai conosciuto il tuo primo marito?»
«Angelo era amico intimo di Pino.»
«E chi era Pino?»
«Pino era il mio fidanzato.»
«Fammi capire. Pino era il tuo primo ragazzo?»
«Vuoi scherzare? Quando ho incontrato Pino avevo già... lasciami pensare... avevo già ventitré anni.»

«E se non sbaglio avevi cominciato a quindici.»
«Sì. Non è l'età giusta?»
«Allora, questo Pino?»
«Con lui mi sono fidanzata ufficialmente. L'ho portato a casa degli zii. Dopo la sua laurea in Medicina ci saremmo dovuti sposare.»
«E invece?»
«E invece mi ha lasciato per un'altra.»
«Ci hai sofferto molto?»
«Beh, vedi, avevo cominciato a pensare.»
«A cosa?»
«Alla nostra futura vita in comune. M'erano venuti dei dubbi.»
«Su cosa?»
«Era noiosissimo e geloso in modo ossessivo.»
«Ma tu ne eri innamorata?»
«Evidentemente non fino al punto di non capire quant'era noioso e possessivo.»
«Quant'è durato questo fidanzamento?»
«Tre anni. Non riusciva a laurearsi. O non voleva.»
«E Picco?»
«Angelo ci aveva provato già mentre ero la zita del suo migliore amico. Più di una volta.»
Fece una risatina.
«Quando Pino mi ha lasciata, abbiamo continuato a vederci.»
«L'hai sposato perché l'amavi?»
Ci pensò un momento prima di rispondere.
«Riusciva a farsi volere bene.»
«Ma quando è successa la disgrazia ti ho vista veramente addolorata e sconvolta.»
Lo taliò strammata.
«Certo che lo ero! Come potevo non esserlo? Alle otto e mezzo, quando mi telefonarono per dirmi che Angelo era stato ricoverato moribondo all'ospedale...»
«Chi ti telefonò?»

Ebbe una leggerissima esitazione.
«Pino.»
«Il tuo ex fidanzato?»
«Sì. Che c'è di tanto strano? Lui lavorava al pronto soccorso dell'ospedale e perciò...»
«Era la prima volta che ti telefonava dopo la rottura del fidanzamento?»
«No. Ci eravamo visti... qualche volta.»
«All'insaputa di Angelo?»
«Beh, sì. Non credo che lui l'avrebbe presa bene.»
Meglio lasciar perdere, tornare sul discorso principale.
«Ma l'incidente non è avvenuto a tarda notte?»
«Ma quando mai! T'hanno informato male. L'aspettavo per cena.»
«Che hai fatto?»
«Mi sono cambiata e sono corsa all'ospedale.»
«L'hai trovato ancora vivo?»
«Sì. Gli ho tenuto la mano per qualche minuto. Poi l'hanno portato in sala operatoria e ne è uscito tre ore dopo, morto.»
Pausa.
«Poverino!»
Altra pausa.
«Sai una cosa? Mi sono macchiata di sangue l'orlo della manica. Me ne sono accorta l'indomani mattina. L'ho fatto lavare, ma la macchia non è del tutto scomparsa.»
«Che vestito è?»
«Il tailleur grigio.»
Fu come se gli avesse dato una mazzata in testa. Per tanticchia restò senza sciato.
«Te lo sei messo prima di correre all'ospedale?»
«Certo. Non potevo andarci con quello che avevo addosso.»

# V

Una sera s'azzardò macari a porle una domanda relativa a loro due.

Era da tempo che voleva fargliela, ma una volta era fagliata l'occasione e un'altra volta si era scantato dell'eventuale risposta.

Capitò che lei, commentando un film, dicesse:

«Ci si marita per tanti motivi...»

Pigliò l'occasione al volo.

«E qual è il motivo per cui tu ti sei maritata con me?»

Aveva usato un tono di sgherzo, ma dintra era teso e si sintiva sudare friddo.

Lei ci pensò un momento.

«Tu sei stato un gran signore. E continui a esserlo» rispose poi facendogli una leggera carezza sulla guancia, come per chiudere il discorso.

Era una risposta che non spiegava niente. Lui non raccolse l'invito a cangiare argomento.

«Spiegati meglio.»

«Lo vuoi proprio sapere?»

«Se te lo sto domandando...»

«E va bene. Già tre giorni dopo la morte di Angelo... figurati, si sono buttati su di me come le mosche sul miele. Tutti addolorati per il mio dolore, compassionevoli, piatosi... Mi stringevano la mano per farmi le condoglianze e con l'altra intanto tentavano di toccarmi il sedere.»

«Ma chi?»

«Tutti. Perfino l'impresario delle pompe funebri quando venne a presentarmi il conto.»

«Dici sul serio?»

«Non sto scherzando e non mi sto inventando niente. Il funerale è costato una tombola e lui mi propose uno sconto del cinquanta per cento se avessi accettato il suo invito a cena.»

«Non ci posso credere!»

«Sei liberissimo di non crederci. La vedovella che ha appena perso il marito dopo otto mesi di matrimonio, figurati che grannissimo pititto deve avere! Mischina! Passerà le nottate a spasimare! Basterà allungare una mano e quella si lascerà cogliere! Oltretutto si fa un'opera buona. Porci! Schifosi! Anche il tuo Presidente, te lo raccomando!»

Lui allocchì.

«Bernocchi?»

«Bernocchi, Bernocchi. Così comprensivo, così paterno... "Cara, perché non va a riposarsi in una casettina, molto isolata, che ho a Capo d'Orlando? Nessuno lo saprebbe, nessuno la disturberebbe. Potrei raggiungerla a fine settimana per tenerle un po' di compagnia..." Che lurido verme!»

Lui ancora non ci credeva.

«Non è possibile che tu ti sia ingannata? Che ti stesse sinceramente proponendo...»

«Ma dài! Ma se mi ha raccontato persino che stava facendo pressioni su di te per farmi avere una liquidazione tripla che non mi spettava! E quando tu me l'hai data, s'è presentato di corsa a casa mia per avere il ringrazio! Pagamento pronta cassa...»

«E tu?»

«Gli ho detto in faccia che come uomo non mi piaceva e che poteva ripigliarsi i soldi.»

«Era troppo vecchio e ti faceva impressione?»

«E perché dovrebbero farmi impressione, i vecchi? No, era proprio lui che non mi piaceva. Tu l'hai conosciuto meglio di me. In primo luogo, gli puzzava l'alito. E gli sudavano le mani. E poi parlava e si muoveva come un uomo di chiesa. Andare a letto con lui mi sarebbe parso come andarci con un cardinale. No, non mi piaceva per niente.»

«E se ti fosse piaciuto?»

«Se mi fosse piaciuto... boh, non so. Che domande stupide che fai! Comunque in quei giorni ero molto frastornata, confusa. E avvilita. Credimi, non ce n'è stato uno che non ci abbia provato.»

«Ero convinto che le attenzioni maschili piacessero alle donne.»

«Ma quelle non erano "attenzioni"! E io ne ero profondamente offesa. Tutti avevano uno scopo preciso, solo quello avevano in testa... No, ho detto male, non tutti. C'è stato uno che ha fatto eccezione. Tu.»

«Ma tu mi avevi colpito, e molto.»

«Questo l'ho capito subito. Però hai saputo confortarmi senza domandare niente in cambio. Ma ti piacevo, eccome se ti piacevo, te lo leggevo negli occhi.»

E solo per questo gli aveva detto di sì appena le aveva chiesto di sposarlo? Perché aveva saputo darle conforto? Oppure perché lei aveva capito che avrebbe potuto macari darle molto comfort?

Ad ogni modo, era situato un gradino più giù di Angelo. Almeno quello riusciva a farsi voler bene. Una frase che Adele non aveva usata per lui. Si era illuso, nei primi tempi, che la passione con la quale lei gli si dava fosse un modo d'esprimere l'amore che provava per lui. Che non lo sapesse dire con le parole, ma col corpo.

Poi, lentamente, si era reso conto che il corpo di Adele reagiva indipendentemente da ogni sentimento, era una macchina perfetta che si metteva in moto appena si premeva il pulsante giusto e non la smetteva più di funzionare.

E mai che nel corso di quelle notti – se n'era accorto assai doppo –, neppure nel momento in cui si abbandonava totalmente, non a lui ma a se stessa – macari questo l'aveva capito assai doppo –, mai che dalla sua bocca fosse nisciuta la parola "amore".

"Tesoro", "gioia", "stella", a bizzeffe.

Tuppuliarono.

«Sì.»

«Al telefono c'è il signor Ardizzone. Che devo dire?» fici Giovanni.

«Arrivo» disse susennosi.

Il vecchio Ardizzone, doppo essere stato condannato per collusione con la mafia, si era ufficialmente ritirato dagli affari passando la mano a suo figlio Mario. Ma era cosa cognita che darrè a ogni iniziativa di Mario c'era sempre suo patre. Che potevano volere da lui?

«Commendatore, sono Mario Ardizzone. Come sta?»

«Bene.»

«Mi scusi se la disturbo, ma avrei bisogno di parlarle.»

«Dica pure.»

«Posso venirla a trovare tra un'oretta?»

Quindi non era discorso da fare al telefono. Si tirò il paro e lo sparo. Non c'era nisciuna ragione di rimandare.

«Venga pure. Sa l'indirizzo?»

«So tutto, non si preoccupi.»

Qualunque cosa veniva a dirgli, gli avrebbe fatto se non altro passare un'orata.

Ebbe appena il tempo di posare il ricevitore che il telefonò squillò di nuovo. Era Adele.

«Scusami, ma stamattina mi sono scordata di dirtelo. Andavo di furia. Volevo avvertirti che a momenti porteranno a casa un televisore con l'apposito tavolinetto.»

«Hai cambiato quello vecchio?»

«Quello vecchio va benissimo, non è ancora ora di cambiarlo. Questo nuovo ho pensato di prenderlo per te. Te lo fai sistemare nella camera da letto o in studio, dove vuoi tu.»

«Ma non ne ho bisogno!»

«Ti può essere utile.»

«Ma c'è quello giù!»

«Vedi, l'altro giorno abbiamo deciso che le riunioni dell'associazione si terranno sempre da noi. Perciò assai spesso la sera il salone sarà occupato. Allora tu potrai startene in santa pace per i fatti tuoi a guardare la televisione. Ciao, gioia.»

Ma che pensiero gentile!

Accussì il posto suo sul divano avrebbe potuto occuparlo Daniele.

Tuppuliarono.

«Dottore, ci sarebbe uno con una televisione che dice la signora che si dovrebbe mettere...»

«Sì, qua nello studio, vicino alla finestra. Ma che si sbrighi, aspetto una persona.»

Sinni andò nella cammara da letto e quando tre quarti d'ora appresso rientrò nello studio l'operaio aveva appena finito.

Era un apparecchio piuttosto grande, dotato di tutti i canali satellitari. L'operaio gli spiegò il funzionamento del telecomando proprio mentre Giovanni trasiva ad annunziare l'arrivo di Mario Ardizzone.

«Lei certamente saprà che malgrado la persecuzione giudiziaria che abbiamo dovuto subire, la nostra attività in questi ultimi tempi si è molto ampliata.»

Certo che lo sapeva. In banca era lui che aveva in mano la pratica Ardizzone.

Oltre alla società di import-export, ora gli Ardizzone avevano un'azienda che produceva delicati congegni spaziali, un piccolo cantiere che fabbricava motoscafi e un'altra società proprietaria di una clinica.

Da quando il vecchio Ardizzone aveva dovuto lasciare il passo al figlio, le cose erano cangiate.

A Mario, che era stato mandato a studiare Economia in Inghilterra, piaceva azzardare. E fino a questo momento non aveva sgarrato manco un colpo. Era un quarantino gradevole e curato, elegante. Mentre a suo padre piaceva esprimersi per metafore, allegorie, frasi labirintiche, espressioni allusive, Mario usava un discorso semplice e diretto.

«Ora mi si sta presentando la possibilità di rilevare al cento per cento la vecchia Prontocontanti. Conosce?»

«Quella di Bertorelli?»

«Sì. Lui è morto, è subentrato un nipote che la sta mandando a rotoli. La vedova sarebbe disposta a cedere tutto.»

Era la più vecchia finanziaria della città, aveva una vasta clientela. Concedeva limitati prestiti a impiegati contro la cessione del quinto. Quando non si trattava di gente a stipendio fisso, domandava altre garanzie. Ma sempre cataminannosi bene e rispettando i limiti del codice. E non si precipitava a depredare il povirazzo che non aveva potuto pagare.

«E poi mi si sta presentando anche un'altra occasione.»

«Quale?»

«Rilevare la Fides che qualche anno fa è stata...»

«Inquisita.»

Perché gli investigatori si erano fatti persuasi che darrè alla Fides c'era la mafia, che se ne serviva per praticare lo strozzinaggio. Non era saltata fora nisciuna prova, ma la finanziaria ora stava continuamente sotto controllo e si diceva che navigasse a rischio.

«Il mio piano sarebbe di prendere le due finanziarie e fonderle. Lei che ne pensa?»

«Beh, in linea di massima, lavorando con accortezza e abilità, potrebbe funzionare.»

Aveva perfettamente capito l'intenzione degli Ardizzone: si trattava di annacquare la cattiva fama della Fides ammiscandola col buon nome della Prontocontanti.

«Oggi tutta l'Italia vive sul prestito e le cambiali e quindi sarebbe un affare certo» proseguì Mario Ardizzone. «Ma non le nascondo che abbiamo un grosso problema.»

«Cioè?»

«Ci manca la persona adatta prima per fare la fusione e poi per dirigere la nuova grossa finanziaria. Ci vuole, come ha detto lei, accortezza e abilità ma anche molta, molta esperienza.»

«Se mi date ventiquattro ore, potrei farvi dei nomi.»

Per la prima volta Mario Ardizzone sorridì.

«Ma io ce l'ho già, il nome.»

«Ah, sì? E chi è?»

«Lei.»

Non se l'aspettava, strammò.

«Io?!»

«Lei. Sarebbe la persona giusta al posto giusto, si lasci pregare. Un mese fa ne ho parlato con papà che si è dimostrato entusiasta. E mi sono precipitato da lei come un falco il primo giorno dopo la fine del suo lavoro in banca.»

Si sentiva tanticchia intordonuto.

«Mi ci lasci pensare.»

Ardizzone fece una smorfia.

«Questo è il guaio. Vede, per quanto riguarda la Fides, per ragioni che sarebbe lungo spiegarle, io sono costretto a dare una risposta, positiva o negativa, entro le cinque di domani pomeriggio. Lei capisce, ho una certa urgenza.»

«Ma perché vuole legare la sua risposta alla mia decisione?»

«Perché, glielo dico in tutta sincerità, se lei non accetta, io non credo che concluderò l'affare. Come vede, gioco a carte scoperte. Ha tutta la notte per pensarci e la notte, come si dice, porta consiglio.»

«D'accordo.»

«Grazie. Allora le telefonerò domani verso mezzogiorno. La prego, ci pensi bene. Le sto facendo una proposta molto seria.»

Si susì. Gli pruì la mano.

«E mi saluti Adele.»

Questa proprio non se l'aspettava.

«Lei... conosce mia moglie?»

Secondo sorrisino.

«Da un sacco di tempo. Faccio parte della società che controlla la squadra di calcio e di cui Adele è vicepresidente. È stata lei a mettermi la pulce nell'orecchio.»

«In che senso?»

«Beh, mi ha detto che lei sarebbe presto andato in pensione... e io ci ho fatto subito un pensierino. Dopo qualche giorno ho parlato con Adele della mia intenzione, senza scendere in particolari, le ho detto genericamente che da noi lei avrebbe potuto trovare una sistemazione adeguata... Mi ha risposto che ne sarebbe stata felice e stamattina mi ha telefonato facendomi sapere che lei, da oggi, non dipende più dalla banca. Non ho voluto, né ho potuto, aspettare ancora a parlargliene, perché domani devo dare quella risposta che lei sa.»

E brava Adele!

Evidentemente scantata dall'idea di trovarselo pedi pedi tutto il santo jorno, perché era chiaro che lui avrebbe finito, tambasiando di qua e di là, con lo sconfinare dal recinto dentro il quale lei lo voleva mantenere recluso, si era preoccupata di trovargli un travaglio che l'impegnasse fora di casa, come quando andava in banca.

Il televisore, nel caso non avesse accettato la proposta di Ardizzone, era un chiaro invito a restarsene il più possibile al posto suo nel corso della jornata, senza fare invasioni di campo.

Ebbe la tentazione di dire di no ad Ardizzone per mandare all'aria la strategia di Adele.

Ma gli conveniva?

Il travaglio che gli veniva proposto non solo era di sua specifica competenza, ma gli sparagnava il sicuro, prossimo orrore delle jornate vacanti, orrore di cui aveva avvertito le avvisaglie già in quelle poche ore che sinni era stato a firriare casa casa senza sapere chiffare.

E poi c'era una cosa di cui si era fatto capace e che giocava a favore di una risposta positiva.

Adele e Mario non erano, e non erano stati, amanti.

Quasi certamente Mario ci aveva tentato, ma Adele, a quanto aveva potuto capire, non si metteva mai con uomini che frequentavano quotidianamente il suo ambiente. Sarebbe stato troppo rischioso, sarebbe bastata un'allusione, una mezza parola a scatenare il cortiglio.

Il pivot negro andava bene, la giovane speranza dell'architettura meglio, perché per i loro incontri avevano una scusa perfetta, il giovane Daniele poi era l'ideale. E gli altri che aveva avuto, ci metteva la mano sul foco, erano gente stranea, di altre parrocchie.

Decise che avrebbe detto di sì. Ma prima...

Quella sera, a tavola con loro due, c'era macari Daniele.

«Non sapevo che conoscevi Mario Ardizzone» esordì lui rivolto ad Adele.

«Da un bel po' di tempo.»
«Oggi m'è venuto a trovare.»
«Ah, sì?»
E non spiò pirchì.
Evidentemente non voleva sbilanciarsi, ignorava se Ardizzone gli avesse o no rivelato che darrè a quella manovra ben congegnata c'era lei.
«Ti manda i suoi saluti» proseguì.
Lei continuò a non dire niente.
«Mi ha proposto un lavoro.»
Lei non poteva reagire in nessun modo. Se si mostrava sorpresa, lui avrebbe potuto spiarle perché si meravigliava, dato che era stata lei a mettere in moto il meccanismo.
Fu bravissima. Si limitò a taliarlo senza nisciuna espressione nell'occhi.
«E tu che gli hai risposto?»
«Che ci penserò.»
Intercettò la rapida taliata che Adele scangiò con Daniele.
Ne avevano parlato!
Sua mogliere però non si tenne.
«Ma ti sei fatto già un'idea?» spiò.
Spasimavano proprio per levarselo dai cabasisi.
«Ancora no.»
Arrostitevi ancora sulla graticola. Volle addivirtirsi tanticchia.
«Sai, Adele, stavo già mentalmente organizzandomi.»
«A cosa?»
«Come, a cosa? A fare il pensionato, no? La prospettiva di starmene tutto il giorno qua dentro, che prima, mentre ancora lavoravo in banca, m'atterriva, stamattina, riflettendoci bene, non m'è parsa così tragica. A parte il fatto che potrei trovare un lavoro da fare a casa.»

L'occhiata che stavolta Daniele e Adele si scangiarono era di vero sgomento.

Verso le due di notte astutò il televisore dello studio ma, invece di andare a corcarsi, pigliò la chiave della porta di comunicazione e si diresse in fondo al corridoio. Provò a infilare la chiave, ma quella non trasì nella serratura. Adele ci aveva lasciato dentro la sua, girandola bene in modo che non potesse cadere a terra.

Allora andò a prendere le altre chiavi, raprì la porta posteriore, scinnì la scala, firriò attorno alla casa, raprì la porta principale e acchianò lo scalone che portava al primo piano. Arrivato al pianerottolo, girò a mano manca e si trovò nel corridoio dell'appartamento di Adele, illuminato dalla solita lampadina notturna.

La porta della cammara di Daniele era aperta. Il letto intatto stava a dimostrare che oramà era abitudine del picciotto andarsene a dormire con Adele.

La porta della cammara matrimoniale era invece chiusa. Accostò l'orecchio. Diversamente dall'altra volta, li sentì che stavano a parlare a bassa voce. Discutevano, lo si capiva dal tono, macari se le parole gli arrivavano solo a tratti.

Lei:

«... vedrai che lo convincerò...»

Daniele:

«... perché se non accetta, io...»

Lei:

«... non fare lo scemo...»

Daniele:

«... no, me ne torno di là.»

Sentì che il picciotto stava scinnenno dal letto. Si mise a correre, si fece lo scalone a precipizio, nisci fora di casa e rientrò dalla scala posteriore.

Arrivò nella sua cammara col sciatone.

Ma era soddisfatto, era arrinisciuto a rovinare la loro nottata.

La contentezza gli passò quando andò in bagno. Un bruciore da farlo piegare in due. Accussì non poteva proprio andare avanti.

L'indomani a matino, per prima cosa, doveva telefonare a Carmelo Caruana.

# VI

Con Caruana si erano conosciuti quando studiavano all'università, e, a malgrado le facoltà diverse, erano addivintati bastevolmente amici, tanto che per un anno avevano dormito nella stessa cammara d'affitto.

Doppo, per anni e anni, si erano del tutto persi di vista per ritrovarsi, già omini maturi, Caruana urologo di fama internazionale e docente universitario e lui alto dirigente della banca con la quale il professore trafichiava spesso e volentieri.

Pirchì Caruana, con tutti i soldi che si era fatto, era uno al quale piaceva speculare e guadagnare, e lui qualche buon consiglio aveva avuto occasione di darglielo.

Gli telefonò a casa.

«Se hai bisogno di me, chiamami a questo numero che ti ho scritto qua, però al massimo entro le otto del mattino. Poi esco ed è difficile rintracciarmi» gli aveva detto una volta il luminare pruiendogli un pizzino.

Gli arrispunnì una gentile voce fimminina, sicuro la mogliere, che gli disse d'aspittare, che forse il professore era già uscito, ma invece Caruana si fece vivo col sciatone.

«Mi hai beccato proprio davanti alla porta dell'ascensore. Vado di corsa. Che ti succede?»

Lui gli spiegò quello che gli stava capitando.
«Da quando ce l'hai, 'sto problema?»
«Da un mesetto.»
«Tempo ci hai perso. Hai fatto colazione?»
«Non la faccio mai. Mi piglio solo un caffè.»
«E te lo sei pigliato?»
«Sì.»
«E allora stamatina non possiamo fare niente. Manda ad accattare in farmacia il contenitore adatto e domani matino, a digiuno completo, quando fai pipì, ne metti tanticchia nel contenitore e poi lo porti al laboratorio Gerratana, che sono bravi e svelti. Digli che vuoi l'esame delle colture. E dato che ci sei, fatti fare l'analisi del sangue. Voglio l'emocromo completo più le piastrine. Ah, voglio macari il PSA, totale e free. Chiaro? Te lo ricordi?»
«Sì. Ora me lo scrivo. E dopo?»
«Appena ti danno i risultati, telefonami.»
Si mise la cravatta e niscì senza dire nenti a nisciuno. Tanto, non aspettava né visite né telefonate.
Già si vedeva strata strata gente vestita come se fosse estate piena. E infatti sentì subito cavudo col vestito pesante.
La farmacia non era tanto vicina, a passo normale ci avrebbe impiegato chiossà di una mezzorata, ma lui non pigliò l'autobus, aveva gana di caminare.
Arrivò in farmacia che era tutto sudatizzo, non solo il vestito non era più di stascione ma macari lui era evidentemente fora esercizio, da anni non si era fatta una passiata accussì lunga. Dovette mettersi in fila. C'erano pirsone, soprattutto anziane, che niscivano portandosi a casa un sacchetto di plastica, che pareva quello di un supermercato, pieno fino a scoppiare di medicinali. Tanto, non li pagavano.
Accattò due contenitori e, appena nisciuto dalla farmacia, si fece persuaso che era pigliato da troppa

stanchizza, aveva bisogno di starsene tanticchia ad accumulare forza prima di rifarsi la strata di casa.

Vide un bar coi tavolini fora sul marciapiede e andò ad assittarsi.

Al cammarere che si era precipitato ordinò un cafè.

Ma sentiva che la stanchizza, invece di passargli, aumentava di minuto in minuto, diffondendosi dalle gambe a tutto il corpo.

Tanti anni avanti, ancora picciotto, si era ammalato di broncopolmonite.

Ecco, si sentiva come durante i primi giorni di convalescenza. Lo stesso languore, lo stesso senso di deriva.

Ora macari le braccia gli stavano diventando molli.

Se ne accomenzò a preoccupare, non gli era mai successo prima.

Possibile che una caminata di mezzora l'arridduciva in quelle condizioni? Manco se avesse avuto ottant'anni!

Il tavolino era all'ombra, ma lui continuava abbondantemente a sudare.

Si passò il fazzoletto sulla faccia, ma non ne ebbe sollievo.

E tutto 'nzemmula la piazzetta principiò a firriargli torno torno, acquistando progressivamente velocità, fino a quando non arriniscì a distinguere più nenti, omini, case, machine, tutto era addivintato una specie di gorgo grigiastro dintra al quale, per qualche secondo, sprofondò completamente.

Riemerse, non seppe quanto tempo doppo, respirando a fatica, assammarato da un sudore gelido.

Davanti a lui, addritta, c'era una picciotteddra diciottenne, graziuseddra, in jeans, cammisetta e viddrìco di fora, che lo taliava preoccupata.

«Si sente male?»

«No, grazie, sono solo un po' stanco.»

«Se ha bisogno...»
«No, grazie.»
«Sicuro sicuro?»
«Stia tranquilla, grazie.»
La picciotteddra si allontanò voltandosi ogni tanto a taliarlo.
Quando il cammarere finalmente si degnò di posargli davanti il vassoio col cafè, per poter portare alla bocca la tazzina dovette usare le due mano. Il cafè gli fece subito effetto.
Pagò, si susì che le gambe ancora gli trimuliavano, si fermò sull'orlo del marciapiedi e appena vide passare un taxi isò un vrazzo.
Quando sentì l'indirizzo il tassinaro si murmuriò.
«Ma è a due passi!»
Gli dette il doppio della tariffa e, trasuto nel suo appartamento, subito corse in bagno, si spogliò e si diede una gran rinfrescata.
Doppo si stinnicchiò sul letto, pinsanno alla picciotteddra del bar. Lui, a diciott'anni, avrebbe fatto lo stesso? A diciott'anni forse sì, a trentasei no. E a trentasei anni quella stessa picciotteddra si sarebbe fermata? E Adele? Sarebbe stata capace di farlo? Adele manco a diciotto anni, concluse tra l'amaro e il divertito.
Ma che significava quel malessere?
Forse una spiegazione c'era e non si trattava di malatia.
Ogni anno, nei primi due jorni di vacanza, gli veniva un forte malo di testa e un gran senso di spossatezza. Poi aveva capito che era il suo corpo che soffriva del brusco cambiamento di ritmo, niente orari obbligati, niente discussioni e trattative, niente squilli nervosi di telefono, niente tensioni, e che quei due jorni di malo stare erano quindi come una specie di camera di compensazione.

Ora invece il suo corpo sapeva che il cangiamento di ritmo sarebbe durato non un solo mese, ma anni e anni, fino a quando campava, e aveva reagito a modo suo. Forse, nei jorni a venire, quel malessere si sarebbe ancora ripetuto qualche volta fino a scomparire definitivamente, appena che il corpo si fosse adeguato.

Passata un'orata si sintì tornato normale.

Andò nello studio e, prima di mettirisi a leggere i giornali, citofonò a Giovanni.

«Mi prepari subito un vestito più leggero. Nel pomeriggio devo uscire.»

A mezzojorno meno un quarto squillò il telefono. Era Mario Ardizzone.

«Allora, ha deciso?»

«In linea di massima, sì.»

L'altro sinni restò in silenzio.

«No, non ci siamo» disse appresso.

«Perché?»

«Mi pare di essere stato estremamente chiaro con lei. Se non è dei nostri, io quell'affare non lo concludo. Non può lasciarmi così, nel dubbio.»

«Quale dubbio, mi scusi?»

«Se lei mi dice che in linea di massima è d'accordo, questo al mio paese viene a significare che non lo è del tutto, e che perciò lei, dopo che io mi sono esposto con quelli della Fides, a un certo momento può anche tirarsi indietro. No, mi occorre che mi dica un sì o un no, netto, ora stesso. Cerchi di capire la mia situazione.»

«Mi stia a sentire. A che ora deve dare la sua risposta a quelli della Fides? Alle cinque, mi pare.»

«Sì.»

«Bene. Non si offenda, ma potrei parlare prima brevemente con suo padre?»

«Se è una questione di stipendio, con papà siamo d'accordo che sarà lei stesso a definire la cifra.»

«Non è una questione di stipendio.»
«Devo avvertirla che papà, ufficialmente...»
«Lo so, ma io non voglio parlargli ufficialmente.»
L'altro fece una pausa.
«Ho capito. La richiamo subito» disse poi, tanticchia risentito.
E infatti, doppo cinco minuti:
«Papà l'aspetta a casa sua alle quattro precise. Sarà una cosa breve?»
«Sì.»
«Sa dove abita?»
«Ci sono già stato una volta.»
«Dopo che avrà parlato con papà mi farà avere una risposta certa?»
«Naturalmente.»

A tavola con lui c'era solo Adele. Daniele era restato a mangiare alla mensa universitaria.
Notò che lei aveva i calamari sutt'all'occhi.
L'azzuffatina della notte passata doveva essere durata assà e forse si era conclusa con una riappacificazione di pari, se non superiore, intensità e durata.
«Che hai?» gli spiò lei.
Per un momento restò strammato, l'aveva pigliato d'anticipo, era proprio la domanda che stava per rivolgerle.
«Niente. Perché?»
«Sei molto pallido.»
«Sto bene.»
Non gli passava manco per l'anticammara del ciriveddro di dirle che aveva avuto un malessere.
Come primo c'era la pasta al tonno che gli piaceva assà. Ma si sentiva la vucca dello stomaco stritta, non aveva pititto.
Era da qualche mesata che doveva sforzarsi di mangiare. Stavolta però fu peggio, perché il sciauro

del tonno, appena lo sentì, gli dette una sensazione di nausea. Di certo era una conseguenza del mancamento avuto in matinata.

Ma per scansarsi dalle inevitabili domande di Adele, ce la fece a mangiarsene mezzo piatto.

«Hai parlato con Ardizzone stamattina?»

Macari lei aveva prescia di sapere.

«Sì.»

«Che hai deciso?»

«Prima di decidere voglio parlare con suo padre.»

«Ci vai tu o viene lui?»

«Ci vado io, a casa sua, oggi alle tre e mezzo.»

Fece una pausa.

«Abita lontano?» spiò lei.

Era qui che ti aspettavo, bella mia.

«Abbastanza. La sua villa si trova in una traversa della strada per Catania, dove c'è anche il Motel Regina.»

E la taliò con precisa intenzione, incontrando di rimando lo sguardo fermo e chiaro di lei.

"Se hai sempre saputo tutto, perché non me ne hai mai parlato? Perché hai sopportato? Ti è mancato il coraggio di reagire?" pareva gli stesse domandando mentre lo taliava fisso, ma senza disprezzo o sfida.

Perciò il primo ad abbassare l'occhi fu lui.

«Ma che fa? Ringiovanisce? Lo sa che la trovo più magro dall'ultima volta? L'hanno messa a dieta?»

«Non ancora.»

«A me sì, purtroppo» disse il commendatore Ardizzone facendolo assittare in una capace poltrona del salotto.

Il commendatore invece sì che era invecchiato. Certo che qualche anno di carzaro, soprattutto a una certa età, non giova alla salute. Ma l'occhi, che parevano quelli di un arabo, erano sempre intelligenti e pronti a succhiare i più ammucciati pinseri di chi gli stava davanti.

«Mio figlio mi ha riferito che vuole parlarmi e io sono qua a sentirla. Ma prima desidero dirle che sono stato invidioso di Mario.»

«Perché?»

«Perché l'idea d'invitarla a travagliare con noi doveva venire a me e non a lui. E ora mi dica.»

«Si tratta di argomenti delicati che vorrei trattare con lei, faccia a faccia e con molta franchezza.»

«E io, con lei, franco sarò.»

«In banca abbiamo sempre saputo che dietro la Fides c'è Giuseppe Torricella. È così?»

Torricella era un boss della vecchia mafia che aveva saputo galleggiare macari durante la guerra scatenata dai corleonesi.

«*Era* così» lo corresse Ardizzone.

«Ora non più?»

«No.»

«Commendatore, parliamoci chiaro. Lei, attraverso suo figlio Mario, sta per acquisire, oltre che la Prontocontanti, anche la Fides. Posso essere sicuro, me lo dica da uomo a uomo, che Torricella continuerà a restare, in tutti i sensi, fuori dalla partita?»

L'occhi di Ardizzone addivintarono due fessure.

«Ho capito quello che mi sta spiando. E le rispondo che io non sono come a don Filippo Careca. La conosce la sua storia? No? Gliela conto. Don Filippo Careca, a un certo momento, non ce la fece più a ficcare con la mogliere che era una picciotteddra. Cose che capitano a uno che si marita con una che ha trent'anni meno di lui. Allora sa che fece? Si mise a pagare un picciotto perché la fottesse al posto suo mentre lui se ne stava a taliarli. Io, a me mogliere, il servizio glielo ho fatto sempre io, non ho mai ficcato per interposta persona. Mi sono spiegato?»

«Perfettamente.»

«Del resto, per fare la fusione, lei avrà a disposizione tutte le carte e accussì potrà controllare se...»

«Commendatore, a me, più che le carte, interessa sentire quello che lei ha da dirmi a voce.»

«E io le ho detto quello che c'era da dire. Altre domande?»

«Sì. Una. Gli esuberi.»

«Non ho capito.»

«Nel momento che avviene la fusione tra la Prontocontanti e la Fides è inevitabile che ci sia un esubero di personale.»

«Embè? Quelli che sono in più lei li manda via.»

«Non è così facile come pare.»

«I sindacati, dice?»

«No.»

«Allora si spieghi.»

«Alcuni degli impiegati della Fides sono stati messi lì personalmente da Torricella.»

«Ho capito. Lei si scanta che se ne licenzia qualcuno Torricella se la piglia a male?»

«Non mi scanto, commendatore. Solo che vorrei sentirle dire che ho le mani libere.»

«E lei ce le ha, libere. Solo che bisogna portare giudizio.»

«In che senso?»

«Nel senso che deve saper distinguere. Le porto un esempio.»

Si stava sbagliando o c'era ora un sorriso impercettibile sotto i baffi bianchi di Ardizzone?

«Pigliamo il caso di una fimmina maritata che mette le corna al marito. La possiamo definire una buttana? No, la buttana è un'altra cosa. E se il marito lo viene a sapere e non la getta fora di casa è pirchì conosce le ragioni per le quali sua mogliere gli mette le corna.»

Agghiazzò. L'allusione a lui e ad Adele era evidente. E macari la storia di Careca il vecchio Ardizzone, contandola, l'aveva voluta rapportare alla sua situazione privata. L'unica era fare finta di non avere capito. Arrinisci a controllarsi e a ripigliarsi.

«Lei mi sta dicendo che un impiegato fatto assumere da Torricella non necessariamente è un mafioso?»

«Ha capito benissimo. Non ne dubitavo. Ma torno a ripeterle, le sue mani sono libere. Ha la mia parola. Anzi, le dico di più: se incontra difficoltà, me lo faccia sapere immediatamente. C'è altro?»

«No.»

«Allora posso telefonare a Mario che accetta?»

«Sì.»

«Ha fatto la cosa giusta. E adesso che l'ha fatta, posso dirle che da Torricella non deve temere niente. Avanti che si cominci a parlare degli esuberi, ne passerà di tempo, no?»

«Almeno un anno.»

«Un anno?! E lei mi viene a parlare di Torricella? Ma non mi faccia ridere!»

«Perché?»

«Ma perché un anno è longo a passare! E ce la fa Torricella a campare ancora un anno?»

«Sta male?»

«No. Ma chi lo può sapere quello che può capitarci domani? Nelle mani del Signore siamo. Capace che uno scatta di salute, passa un camion e se lo mette sotto.»

Appena che niscì dalla villa e si mise in machina per tornare, si pentì d'avere accettato.

Il vecchio Ardizzone l'aveva tranquillizzato, fornendogli tutte le rassicurazioni che aveva voluto, anzi, aveva fatto di più, gli aveva dato macari la sua parola.

Ma lui continuava a sentire feto d'abbrusciato.

Va bene, d'accordo, Ardizzone gli aveva detto con estrema chiarezza che in nessun caso avrebbe agito da prestanome per Torricella.

Ma anche ammesso che Torricella volesse sbarazzarsi della Fides, lui mai sarebbe riuscito a sapere a quali condizioni l'aveva fatto, quali erano stati i patti segreti tra Ardizzone e il mafioso.

E non era manco da escludere che Ardizzone, per poter continuare a fare i suoi affari tranquillamente, fosse stato costretto ad accattarsi la Fides proprio dallo stesso Torricella. E che l'acquisizione della Prontocontanti fosse un'idea successiva, venuta agli Ardizzone per rendere meno evidente la cosa.

Sì, doveva essere andata accussì.

La Prontocontanti veniva a dare una facciata d'onestà alla Fides e lui... Lui veniva a dare una facciata di rispettabilità a tutta l'operazione.

Per questo ci tenevano tanto ad averlo.

Però c'era un modo di niscirisinni a tempo. Firmare un contratto iniziale limitato a un anno. Un anno a lui era più che bastevole per rendersi conto di come stavano veramente le cose. Doppo di che, se la facenna era pulita, restava; in caso contrario, alla scadenza del contratto, nisciuno poteva impedirgli di andarsene.

Un momento.

C'era un aspetto della parlata che gli aveva fatto Ardizzone che andava esaminato con molta attenzione.

Premesso che il vecchio era un grannissimo farabutto, c'era un'altra ragione per avergli fatto capire che era al corrente della sua situazione con Adele, a parte la malvagia soddisfazione di dirglielo in faccia?

Forse sì.

Forse quelle parole ammucciavano una precisa minaccia: se non fai quello che ti dico di fare, posso sputtanarti in qualsiasi momento, mettendo tutti a parte di come tua mogliere si comporta con te e come tu ti comporti con tua mogliere. Se voglio, ti rovino.

E capace che era in possesso di qualche fotografia compromettente di Adele. No, una volta che aveva accettato, macari andarsene non sarebbe stato facile.

Una violenta clacsonata lo fece sussultare. Senza accorgersene, aveva frenato di colpo.

Proprio davanti al Motel Regina.

## VII

La strata non era per niente traficata. Ebbe perciò tutto il tempo per girare comodamente a mano manca e andarsi a fermare nello spiazzo davanti all'ingresso del motel.

Scinnì, trasì.

«Desidera?» gli spiò il portiere, assittato davanti al solito alveare di caselle numerate, con un giornale sportivo aperto sul banco e intento a un'accurata esplorazione della narice destra.

Notò immediatamente che dalle caselle, fatta eccezione per due, non pendevano chiavi. Il motel quindi in quel momento doveva essere quasi al completo.

Ma nell'ingresso, a parte il portiere, non c'era anima criata e non si sentiva nisciuna rumorata, nisciuna voce, pareva assolutamente vacante.

«Un caffè, per favore.»

«Glielo faccio preparare subito» fece il portiere premendo il pulsante di un campanello.

Meno male che sarebbe stata un'altra persona a farglielo. E sempre nella tenue speranza che il barista avesse le mano pulite.

L'ingresso non era grande, ci stavano un divano e due poltrone di finta pelle, il banco del portiere e, in funno, il bancone del bar con la solita esposizione di bottiglie nei ripiani a muro.

A mano dritta c'era un arco che si apriva su un corridoio nel quale s'affacciavano le cammare a piano terra, a mano manca si partiva una scala che portava alle altre cammare del piano superiore.

Non è che l'ambiente fosse accussì lordo come si era immaginato, ma trasandato e di uno squallore che scoraggiava.

Da una porticina darrè il bancone del bar spuntò un omo malovistuto.

«Fai un caffè al signore» gli disse il portiere.

A malgrado l'avesse visto solo due volte e anni prima, l'arriconobbe: era lo stesso che aveva levato dalla vista la machina di Adele. Doveva essere una specie di factotum, portabagagli, posteggiatore, barista.

Alle pareti c'erano, incorniciate, alcune fotografie.

Si avvicinò per taliarle. Una cantante di mezza tacca, un presentatore della televisione locale, un calciatore, un comico e il pivot che di sicuro era stato l'amante di Adele. Ogni fotografia aveva la sua brava dedica entusiastica al motel, il pivot aveva firmato col solo nome, Geoffrey, pirchì accussì era noto come giocatore.

Il cafè era da risputare subito in faccia a chi l'aveva preparato.

«Geoffrey era un vostro cliente?» spiò al barista.

E per levare di mezzo ogni sospetto o che l'altro potesse scangiarlo per uno sbirro o un agente delle tasse, sorridì come chi sta godendo di un lieto ricordo e aggiunse:

«Che magnifico giocatore! Non ce n'erano come lui! Era un vostro cliente?»

«Spesso, quando stava con la nostra squadra, veniva a passare un doppopranzo qua. E certe volte si fermava macari la notte.»

«Ma non abitava all'Hotel des Palmes?»

«Sì, però era qua che si veniva, diciamo accussì, a

riposare» fu la risposta accompagnata da un sorrisino.

Fece finta di non avere capito.

«Perché, nell'albergo dove stava non riposava?»

«Lo sa che quel poviro mischino era sempre pigliato d'assalto dagli ammiratori? Non poteva fare due passi in pace. Qua, almeno, nisciuno gli scassava i cabasisi.»

«Io ero uno di quelli.»

«Di quali?»

«Di quelli che, come dice lei, gli scassavano i cabasisi.»

«Davero? Non pare.»

«E invece sì. Non mi sono perso una partita. Lo seguivo persino in trasferta. Non ci crederà, ma a casa ho un album con le sue fotografie. E macari la maglia che indossò nella famosa partita...»

Non sapeva come continuare e allora si fermò a mezzo, come pigliato da un'idea improvisa.

«Mi levi una curiosità: quando veniva qua, voleva sempre la stessa camera?»

«Sì, ma non lui, era la... era quella che l'accompagnava che voliva sempre la stissa per via del bagno, pare. Per essere sicura, prenotava.»

Stava recitando da dio, si compiacì con se stesso. Era una capacità che aveva avuto modo di coltivare in banca coi clienti difficili. Ma non aveva mai avuto occasione di spingersi a tanto.

Tirò fora il portafoglio, cavò un biglietto da cinquanta euro, lo posò sul bancone.

«Non ha spicci?» equivocò l'altro.

«Sono per lei se mi fa vedere la camera di Geoffrey.»

L'omo lo considerò a longo, non era persuaso della richiesta, si scantava che non fosse accussì innocente come appariva. Doppo dette una rapida taliata all'alveare e disse:

«Si potrebbe fare, vedo che attualmente è libera. Ma prima ne devo parlare con... Mi scusi.»

Niscì da darrè il bancone, andò a parlottare col portiere. Questi stette a taliarlo mentre il malovistuto gli parlava e doppo gli fece segno di avvicinarsi.

«Non ho capito bene quello che desidera. Lei vuole limitarsi a dare un'occhiata alla camera?»

«Beh, se è possibile vorrei starci dentro un'oretta, per respirare la stessa aria che Geoffrey...» fece, posando macari davanti a lui una banconota da cinquanta.

I due si taliarono, avevano trovato il pollo, il fan esaltato e imbecille.

«Noi non affittiamo a ore» fece il portiere.

«Ma io sono disposto a pagare la tariffa intera di una notte.»

«Sì, d'accordo, ma devo avvertirla che quella camera è la più cara di tutto il motel, è una suite, c'è un salottino, un...»

«Mi va bene lo stesso.»

Il portiere gli dette una delle due chiavi. Lui pruì quelle della sua machina al malovistuto che le taliò imparpagliato:

«Che me ne faccio?»

«Per portarmi la macchina in garage.»

Arrispunnì il portiere.

«Il garage è riservato ai clienti abituali, signore. E oggi è pure pieno come un uovo.»

Dunque Adele era una cliente abituale.

«A meno che...» continuò il portiere.

«Mi dica.»

«A meno che, per ricreare la stessa atmosfera di quando c'era Geoffrey, lei non avesse compagnia. In due, secondo il nostro regolamento, si ha diritto al garage.»

Non se l'aspettava, questa.

«Ma non è pieno come un uovo?»
«Con tanticchia di buona volontà, un posto si trova sempre.»
«Però io non so come...»
«Se lo desidera, potrei provvedere io.»
Dunque era un casino in piena regola.
«No, grazie. Le lascio un documento?»
«Se si trattiene solo un'ora...»
Non l'avrebbe registrato, accussì poteva spartirsi col malovistuto i soldi della cammara.
«La due è la prima a destra» continuò il portiere indicando l'arco.

Trasuto, s'attrovò in una anticammarina con due porte.
Quella a mano dritta dava in un salottino arredato con mobili svedesi di un certo gusto, c'era la televisione e il frigobar. Quella a mano manca era della cammara di dormiri. Il letto matrimoniale era spazioso, l'armuar con un grande specchio era strategicamente situato in modo che chi stava corcato poteva vedersi, macari qua c'era un televisore.
Ma la sorpresa grossa l'ebbe trasenno nel bagno che a momenti era grande quanto il salottino, vasca con doccia, specchiera inclinabile a parete, doppio lavabo.
Per questo, come aveva detto il portiere, era addiventata la cammara preferita da Adele. Era un luogo degno della cerimonia. La cerimonia della regina del casino.
Diverse volte Adele l'aveva avvertito, al tempo di Geoffrey, che non sarebbe rincasata, che sarebbe andata a dormire da Gianna... E invece se ne veniva qua, e la mattina il negro, assittato sullo sgabellino bianco di plastica...
La botta di gilusia che l'assugliò fu tale che andò a stinnicchiarsi sul letto. Chiuì l'occhi.

E nel silenzio sintì i soffocati, ma riconoscibili rumori che venivano dalla cammara allato. Doppo tutto finì e nel ritrovato silenzio gli arrivò una risata fimminina, precisa 'ntifica a quella di sua mogliere.

Possibile che Adele...?

No, manco a pensarlo. Lo sapeva che lui doveva passare da quelle parti. E se invece c'era venuta lo stesso per provocarlo? Via, come avrebbe potuto prevedere che si sarebbe fermato al motel?

La fimmina continuava a ridere. Come se sapesse che lui si trovava nella cammara allato e lo stesse schernendo.

Si infilò la testa sotto al cuscino, se lo premette contro le orecchie.

Ma che ci era venuto a fare?

Era la prima volta che si lasciava vincere da un impulso irrazionale.

Come fu che non si addunò dello stop?

Forse aveva la testa troppo impegnata a pinsare sia alla parlata con Ardizzone sia soprattutto all'inutile sosta al motel, fatto sta che la machina che veniva da destra e che lo pigliò in pieno aveva tutta la ragione dalla sua parte.

«Ma che faceva, dormiva?» gli spiò, aggressivo, il signore quarantino e distinto che era alla guida, scinnenno arraggiato dalla machina sparluccicante e di superlusso.

Macari la picciotta altrettanto elegante e sparluccicante che gli stava allato scinnì e si mise a controllare il danno. Doppo lo taliò con un sorrisino sfottente, che stava a significare che, secondo lei, lui non era più cosa di stare al volante, troppo anziano oramà, meglio che guidava una sedia a rotelle.

Torno torno si stava creando uno straziante concerto di clacson sonati alla dispirata da pirsone irritate per l'improvviso rallentamento del trafico.

Lui, per la botta, si era scantato.

Niscì dalla machina con le gambe tringuli minguli.

«Lei non ha rispettato lo stop! E meno male che andavo piano!» disse il quarantino arraggiato.

«Ha perfettamente ragione» fece lui, remissivo.

«Ha l'assicurazione?»

«Certo.»

Si scangiarono i dati e i biglietti da visita.

La portiera posteriore della machina non si poteva raprire, si era avvallata. Ripartì con le mano che gli tremavano. Non aveva mai avuto il minimo incidente. All'assicurazione si sarebbero meravigliati.

Ad Adele invece incidenti ne capitavano spisso e volanteri. Di certo aveva un carrozziere di fiducia. Avrebbe spiato a lei dove portare a riparare la machina.

Arrivò a casa che si sentiva tanticchia stanco. Andò in bagno e fu un supplizio peggiore delle altre volte.

A tirare le somme, la sua seconda jornata da pensionato era stata impegnativa assà. La meglio era di stinnicchiarsi tanticchia sul letto.

Tuppulìo.

«La cena è servita, signore.»

Si era appinnicato. Prima di scinniri a mangiare si dette una rilavata generosa, ma quel leggero senso di stordimento che provava non gli diminuì. Prima il malessere e doppo l'incidente: due shock nella stissa jornata per un omo in età erano decisamente troppi.

Trovò Adele assittata che l'aspettava, gli comunicò che Daniele era a cena con amici. Ma si addunò immediatamente che c'era qualcosa che non funzionava.

«Sei molto pallido. Stai male? Hai litigato con Ardizzone?»

«Ho avuto un incidente.»
«Tu?!» spiò sbalordita. E poi, subito ansiosa:
«Ti sei fatto male?»
Era sollecita e sinceramente preoccupata.
«Io no, ma la macchina sì.»
«Non me ne importa niente della macchina» fece lei. «Ci penserà il mio carrozziere.»
«Era appunto questo che volevo chiederti.»
Ma a ingoiare la minestrina non ce la faceva proprio.
«La lasci? Anche a mezzogiorno non hai mangiato.»
«Stasera mi sento un po' scosso.»
«Mangia almeno la frutta. Te la sbuccio io.»
«Va bene.»
«Com'è andata col vecchio Ardizzone?»
«Ho accettato.»
Un gran sorriso.
«Tu non sai quanto sono contenta.»
«Perché?»
«Caro mio, abituato com'eri a lavorare, a stare tutto il giorno casa casa senza fare niente saresti impazzito.»
"E macari tu" pensò lui "saresti impazzita ad avermi tutto il jorno sempre presente casa casa. E manco Daniele l'avrebbe saputo sopportare."
Meglio accussì per tutti.
«Che c'è stasera in televisione?»
«Un vecchio film che deve essere bellissimo, si chiama *Una romantica avventura*, vedrai che piacerà anche a te.»

Alle otto e mezzo della matina doppo chiamò un tassì e si fece portare al laboratorio d'analisi Gerratana, consegnò il contenitore a una picciotta in cammisi bianco che stava darrè a un banco e le ripeté quello che gli aveva detto Caruana.

«Per l'esame del sangue deve aspettare una decina di minuti in anticamera, la verranno a chiamare.»

«Senta, quando posso passare a ritirare le analisi?»

«Oggi pomeriggio dopo le diciassette e trenta.»

Erano lesti, non c'era che dire.

Alle dieci spaccate era negli uffici modernissimi del Gruppo Ardizzone. La segretaria lo fece trasire in un salottino i cui mobili parevano pigliati paro paro da una di quelle riviste d'arredamento che ogni tanto Adele accattava.

«Il dottore la riceve subito.»

Alle pareti c'erano quadri astratti dai colori vivacissimi, forse li vendevano 'nzemmula ai mobili.

«Può accomodarsi.»

Mario Ardizzone, appena che lo vitti trasire, si susì, gli andò incontro con un gran sorriso, gli pruì la mano.

«Benvenuto! Veramente benvenuto.»

«Grazie.»

E visto che l'altro ne aveva chiaramente gana, si lassò abbrazzare e dare manate darrè le spalle.

L'ufficio era tanticchia meno grande di una piazza d'armi, faceva una certa impressione. E questo era certo il suo scopo. Un televisore, due computer da tavolo, tre telefoni di colore diverso, frigobar, un grande tavolo ovale con dieci seggie torno torno, un mobiletto con sopra una machina per il cafè, un divano e due poltrone di gran lusso in un angolo. E quadri enormi, intercambiabili con quelli del salottino.

«Le posso offrire qualcosa?»

«No, grazie.»

«Può fumare, se vuole.»

«Non fumo.»

«Allora, vogliamo stabilire prima di tutto le condizioni?»

«Va bene.»

Sinni stettero due ore a parlare. Ardizzone aveva ordinato alla segretaria di non disturbarlo per nessun motivo.

Sulle condizioni si misero subito d'accordo. L'unica resistenza l'incontrò quando propose il contratto di un anno, l'altro voleva farlo triennale. Ma l'ebbe vinta.

Quindi Mario l'informò che il jorno avanti, appena saputo dal patre che aveva accettato, si era premurato di dare una risposta positiva a quelli della Fides. Perciò il passo era fatto e non ci si poteva più tirare indietro. A farlo, quel passo, si sarebbero corsi grossi rischi.

«Al massimo ci fanno causa per mancato rispetto del contratto.»

«Ancora non c'è nessun contratto.»

«Meglio.»

«Lo dice lei. Ho dato la mia parola che l'affare lo facevo.»

«A Torricella?»

«No. Ma sappia che Torricella, da ieri pomeriggio alle cinque, non ha più niente a che fare con la Fides. Chiaro?»

Per la Prontocontanti invece non c'erano problemi.

«Ora le dico come vedo la cosa.»

Vedeva in grande, il picciotto. Forse troppo. E lui glielo disse apertamente. Ma l'altro non si lasciò convincere. Ognuno restò della sua.

Alla fine, Ardizzone gli pruì due grosse carpette spiegandogli che contenevano le pratiche riguardanti lo stato attuale delle finanziarie, voleva che lui le esaminasse e gli desse il suo parere, indispensabile per procedere all'acquisizione definitiva.

«Può cominciare da domani, venga quando più le fa comodo. Le ho fatto mettere a disposizione un ufficio a tre porte dal mio. Potrà servirsi della mia segretaria. Glielo faccio vedere, se non le va bene me lo dica subito.»

La cammara gli piacque. I mobili erano sopportabilmente moderni e non c'erano quadri alle pareti.

Non c'era dubbio che Mario era un picciotto sperto, pronto a capire com'era fatto ogni omo col quale si trovava ad avere a chiffare.

«Le piace? Sì? Provvisoriamente lavorerà qua, ma quando sarà fatta la fusione avrà il suo ufficio definitivo nella nuova sede della finanziaria. A proposito, bisognerà trovarle un nome che dia fiducia.»

Nessun accenno a quello che aveva discusso con suo patre.

Era proprio sperto, il picciotto.

Per tornare a casa col tassì ci mise quasi un'orata, il trafico era tale che a un certo punto fu tentato di scinniri e farisilla a pedi. Ma era troppo stanco, non ce l'avrebbe fatta. Il tassinaro non fece che santiare.

«Ha telefonato due volte la sua segretaria dalla banca. Dice così se la richiama immediatamente. Il pranzo è pronto.»

«C'è mia moglie?»

«Sì.»

«Dica alla signora di cominciare. Arrivo subito.»

Andò nello studio, fece il numero diretto che fino a tre jorni avanti era stato il suo. L'ex segretaria gli arrispunnì subito.

«Dottore, c'è della posta per lei. Che faccio?»

«Sono buste intestate?»

«Tre sì. Una della cooperativa agricola Montagnella, una della Banca di Roma e una della Banca d'Italia.»

«Le passi a Verdini.»

«Va bene. Poi ce n'è una privata.»

«L'apra.»

Un minuto doppo risentì la voce sorpresa della sua ex segretaria.

«Dottore, c'è solo una fotografia.»

«Che rappresenta?»
«Una giovane coppia. Lei è chiaramente incinta.»
«Guardi il timbro postale, mi dica da dove viene.»
«Viene da Londra.»
«C'è scritto niente dietro?»
«No.»
«La metta in un'altra busta e me la spedisca.»
Suo figlio. Forse che la prossima paternità lo stava cangiando? Ad ogni modo, la foto gliela aveva indirizzata in banca e non a casa. Perché non fosse Adele a raprirla.

Inaspettato e immotivato, gli venne un groppo in gola.

# VIII

Adele stava principiando il secondo piatto.

«Come mai così tardi?»

«C'era traffico.»

«Sei stato da Mario?»

Finalmente si era tradita. Come faceva a sapere dell'appuntamento col picciotto? Lui era più che sicuro di non avergliene parlato.

I casi erano due: o si vedevano o si mantenevano in contatto telefonico. E dunque quello che aveva sospettato fin dall'inizio era ampiamente confermato: non era stata un'iniziativa di Mario. Macari quello aveva detto accussì a suo patre, ma la vera mente, l'unica regista dell'operazione Ardizzone messa in moto per lui era stata lei, Adele.

«Sì, abbiamo definito alcuni dettagli.»

Lei non raprì bocca fino al momento nel quale attaccò la frutta. Lo taliò due volte, accennò a dirgli qualcosa, ma non parlò. Capace che voleva spiargli ancora dell'incontro con Mario. Ma se si erano visti o telefonati, oramà non sapeva tutto?

«Che vuoi dirmi?» la facilitò.

«Hai firmato il contratto?»

«Non ancora, ma siamo d'accordo sulla cifra e sulla durata.»

«Che durata ha?»

Capì in un lampo dove voleva andare a parare. Mario le aveva affidato un compito: persuaderlo a firmare un contratto più lungo.

«Tre anni» arrispunnì tranquillo.

Voleva provocarla, vedere come reagiva alla farfantaria. E infatti Adele, arrussicanno in faccia, stava per replicare taliannolo con occhi infuscati, ma si tenne. Si susì arraggiata.

«Devo andare. Ciao.»

«Arrivederci.»

Restato solo, spilluzzicò tanticchia d'insalata.

Inspiegabilmente, continuava a sintirisi stanco epperciò, appena si susì da tavola, andò a corcarsi.

Alle cinque chiamò un taxi e si fece portare al laboratorio d'analisi.

Disse al tassinaro d'aspettare, ritirò una busta, grande, pagò, tornò narrè. Ammucciò la busta, senza manco averla aperta, nel secondo cascione di destra, seppellendola sotto a una scatola piena di vecchie fotografie. Si scantava che Adele, vedendo per caso l'intestazione del laboratorio d'analisi, la raprisse e accomenzasse a fargli domande. Non voleva metterla a parte del disturbo che aveva, sinni vrigugnava.

Pensò che dato che c'era, tanto valeva accomenzare a fare pulizia nella scrivania principiando dal primo cascione. I tre cascioni di destra contenevano carte personali, quelli di sinistra vecchie pratiche bancarie, oramà inutili.

Per prima, pigliò la valigetta di plastica verde dintra alla quale ci stava la pistola, mai usata, di cui la banca tanto tempo avanti aveva dotato alcuni funzionari e dirigenti, seguendo un criterio che non era mai arrinisciuto a capire. Per eliminare la tentazione, se l'era portata a casa.

Sì, perché ad avere quell'arma sottomano in ufficio c'era il pericolo che, in caso di rapina, sarebbe stato tentato di reagire istintivamente impugnandola. E i rapinatori non gli avrebbero manco dato il tempo di fare biz, scaricandogli addosso una raffica di mitra o quello che era.

L'aveva sperimentato di persona, al principio della carriera, quando era secondo casciere dell'agenzia di Cianciana.

Il primo casciere stava finendo di contare i soldi all'unico cliente allo sportello mentre lui stava rifacendo i conti con la calcolatrice. Allora i computer non esistevano.

Erano trasuti due infaccialati, revorbaro in pugno, e uno aveva gridato:

«Mani in alto!»

Loro due e il cliente, atterriti, avevano obbedito.

«Datemi i soldi!» aveva intimato lo stesso di prima.

Erano nirbusi e presciolosi, era evidente che si sarebbero contentati dei soldi in dotazione alle due casse, non gli passava manco per l'anticammara del ciriveddro di fare raprire la casciaforte. Mentre stava pruienno tre fasci di banconote a uno dei due rapinatori, s'addunò che alle loro spalle era comparso il direttore, Virgillito si chiamava il poviro imbecille, con la pistola che gli ballava nella mano per quanto tremava. Aveva sparato fracassando il ralogio che c'era alla parete. Ma prima che avesse il tempo di premere ancora il grilletto, il rapinatore che aveva sempre parlato si era voltato come una serpe e aveva sparato un colpo solo dritto in faccia a Virgillito. Quindi i due sinni erano scappati a mano vacanti. Virgillito aveva salvato duecentocinquantamila lire, ma ci aveva rimesso la vita.

Posò la valigetta a terra e pigliò una gran busta gialla.

La stava raprenno, quando tuppuliarono.

«Che c'è?»

«Ha telefonato la signora che stasera non cena a casa e poi va a vedere un film con la signora Gianna.»

Meglio accussì.

Ancora non aveva gana di mangiare e aveva meno ancora gana di stare a sentire le esortazioni di Adele. La quale aveva di sicuro deciso di passare una serata fora con Daniele. O forse macari Daniele aveva ricevuto la stissa telefonata.

Di una cosa sola era certo: che ad andare con lei al cinema non sarebbe stata Gianna. Né qualunque altra fimmina.

Nella busta c'erano solo lettere, divise in due pacchetti, ognuno legato con un nastrino rosa. Erano le lettere che si erano scangiate con Michela quando erano ziti.

Lui l'aveva conosciuta a Ragusa appena assunto in banca. Michela non era beddra, ma aveva un corpo discreto e grandi occhi nivuri come l'inca. Picciotta seria, di carattere dolce e riservato, di bona famiglia, aveva studiato fino al liceo, ma non si era mai iscritta all'università. Aveva pensato, doppo tanticchia che si frequentavano incontrandosi in casa d'amici, che sarebbe stata una mogliere perfetta per lui.

Alla sua domanda se se lo voleva maritare, Michela aveva risposto di sì alla fine di un minuto eterno di silenzio. Se l'era pensata. Forse lui non era il suo ideale, ma capace che disperava di trovare di meglio. S'erano maritati doppo un anno di fidanzamento, Luigi era arrivato l'anno appresso. E quando Michela era morta, doppo diciassette anni di matrimonio, lui si era sentito perso. Perché col tempo si erano voluti bene.

Il jorno prima di morire, che lui erano tre notti che la vegliava senza toccare letto, lei...

"No" si disse, "fermati."

Pirchì ora, passati anni e anni che non ci pinsava più, gli tornava a mente Michela? Pirchì lo stavano per assugliare i ricordi del tempo nel quale la sua vita di omo maritato caminava su binari che non solo non potevano riservare sorprese, ma davano anzi la sensazione di un viaggio tranquillo e sereno verso la stazione finale?

Stava facendo uno sbaglio grosso assà: se voleva sbarazzarsi delle carte inutili, non era da lì che doveva accomenzare, ma dai tre cascioni dell'altro lato. Rimise dintra la busta e la valigetta, chiuì a chiave.

Ma la gana gli era passata.

Non arrinisciva a levarsi dalla mente a Michela.

Fino a due anni doppo ch'era morta, era sempre andato a trovarla al camposanto nel jorno della ricorrenza. Non lo faceva né perché era credente né per usanza, ma per autentico bisogno. Non ci andava a parlare, come fanno tanti, ma sinni stava addritta davanti alla tomba e pensava a lei.

Luigi no, Luigi al camposanto era addirittura addivintato di casa. E per questo aveva pinsato bono di spedirlo a Londra. Poi era capitato che proprio il jorno del terzo anniversario la banca l'aveva spedito a Roma. Da allora le visite si erano allascate e quando aveva conosciuto Adele non ci era andato più.

Era convinto che sarebbe invecchiato accussì, senza nisciuna fimmina allato, e invece Adele gli aveva donato una specie di seconda vita.

Già, una seconda vita. Dicono che i gatti di vite ne hanno sette, ma l'omo quante ne può avere?

«Signore?»

«Sì?»

«Apparecchio qua in studio?»

«Che c'è da mangiare?»

«Passato di verdura, gamberetti bolliti, formaggio e frutta.»

«Non apparecchiare, mettimi un po' di frutta in un piatto.»

Se la mangiò talianno il telegiornale.

Alle nove tirò fora dal cascione la busta con le analisi e la raprì. C'erano due cartelline, una era il risultato dell'esame del sangue e delle urine, l'altra del PSA che manco sapeva che era. Ci dette un'occhiata, non ci capì nenti e chiamò a Caruana.

«Mi hanno dato le analisi.»

«Te l'avevo detto che erano svelti! Leggimele.»

«Tutte?»

«Ti manca il fiato?»

«No, ma non vorrei disturbarti.»

«Hai ragione. Mia moglie sta scalpitando per andare a cena, sono tornato un po' tardi.»

«Ti telefono domani.»

«Va bene. No, senti. Piglia le analisi dell'urina. Guarda dove c'è il maggior numero di crocette.»

Taliò.

«Allato a dove c'è scritto Ciprofloxacina ce ne sono quattro.»

«Ho capito. Ora dimmi quello che c'è scritto nel PSA.»

Glielo disse.

Caruana parse tanticchia imparpagliato.

«Sei sicuro che mi stai dando i dati del PSA?»

«Sicurissimo.»

Ci fu una pausa.

«Domani mattina hai impegni?»

«Veramente dovrei...»

«Lascia perdere. Ti voglio vedere.»

«Va bene.»

«Passa nel mio studio alle dieci precise. Farò in modo di riceverti subito. Conosci un farmacista che ti può dare un medicinale senza ricetta?»

«Sì.»

«Manda ad accattare ora subito una scatola di Ciproxin, è un antibiotico, te ne pigli uno stasera stessa e un altro domani mattina, a dodici ore di distanza. E poi continui così nei giorni appresso. Prima cominci e meglio è. Vedrai che ti farà passare il disturbo. Ci vediamo domani, mi raccomando. E portami le analisi. Ah, senti, misurati la febbre prima di andare a letto.»

Pirchì Caruana gli era parso preoccupato? E che ci trasiva la fevri? Lui, a parte quel mancamento che aveva avuto e la botta d'inappetenza che gli era venuta negli ultimi jorni, si sentiva abbastanza bene. Tanticchia stanculiddro, questo sì. Ma non era più che altro un fatto psicologico dovuto all'andata in pensione?

Meno male che Adele non era in casa. Accussì non si sarebbe addunata di nenti. Chiamò Giovanni, gli disse di andare in farmacia e gli dette un pizzino sopra il quale aveva scritto il nome del medicinale.

«Ma forse a quest'ora è chiusa.»

«Fa servizio notturno. Digli che serve a me. Comprami anche un termometro.»

Mezzora appresso, pigliato l'antibiotico, si mise a taliare un film di gangster.

Prima di corcarsi, si provò la febbre. Trentasette e otto.

Che strammo! Ce l'aveva, questo era sicuro, ma lui non se la sentiva. Capace che stava accussì chissà da quanto tempo e non se ne era accorto. Dormì agitato.

E, nelle matinate, fece un sogno.

Era nel suo ufficio in banca e la segretaria gli aveva appena portato la posta. Sulla quarta busta che si trovò davanti c'era scritto di traverso, in alto a sinistra, "riservata personale". L'indirizzo era a mano, ma la grafia gli era scognita.

La raprì. Il foglio piegato in quattro che c'era dintra non era da lettera, ma carta da computer, spessa. Era tutto scritto a mano, fitto fitto, tanto che non c'erano margini bianchi, né sopra né sotto e manco ai lati. I caratteri erano accussì piccoli che parevano zampette di formicola e le parole tanto impiccicate l'una all'altra da formare un'unica parola lunga un rigo intero. Non c'era un punto o una virgola. E non si capiva manco in che lingua era scritta.

La parte di darrè del foglio era adoperata come la facciata. Anzi, dato che non c'era un vero e proprio inizio o qualcosa di identificabile come tale, non era possibile distinguere qual era la prima facciata. Più che una lettera, pareva una pagina staccata da altre in tutto simili.

Coprì il foglio con una cartella e citofonò alla segretaria.

«Mi faccia avere una lente d'ingrandimento.»

«Non credo di averne una.»

«Me la trovi.»

Solo quando la segretaria gliel'ebbe portata e niscì chiuiennosi la porta alle spalle, scostò la cartella e cominciò a esaminare lo scritto con la lente. Non era né arabo né cirillico né qualsiasi altra scrittura che conosceva. Pigliò in mano la busta per taliare il bollo di provenienza e s'addunò che non c'era. Richiamò la segretaria, cummigliando nuovamente la lettera, ma tenendosi la busta in mano.

«Vuol venire un momento?»

E quando quella trasì, gliela mostrò.

«Come l'ha avuta?»

La segretaria la taliò.

«Ah, sì, me l'ha consegnata il fattorino.»

«E a lui chi gliel'ha data?»

«Molto probabilmente qualcuno dell'ufficio informazioni o il portiere.»

«S'informi a chi è stata data.»

Cinco minuti doppo sonò l'interfonico.

«Dottore, l'hanno consegnata a Manusardi delle informazioni.»

«Gli dica di venire da me.»

Non lo conosceva, a questo Manusardi. Era un picciotto trentino, chiaramente impacciato d'attrovarsi davanti al condirettore centrale.

«È stata data a lei questa lettera per me?» gli spiò pruiennogli la busta.

«Sì.»

«Quando?»

«Stamattina, è stata la prima persona a entrare in banca. Si è precipitato dentro di corsa, affannato. Mi ha colpito per questo e...»

«Che tipo era?»

«Un signore maturo. Ben vestito e...»

Era esitante, non sapeva se continuare o no.

«Manusardi, la prego di dirmi tutto.»

«Era impressionante.»

«Che cosa?»

«La rassomiglianza con lei. Io a lei la vedo passare quattro volte al giorno. Sembrava...»

Perse la pazienza. Cosa che non capitava quasi mai.

«Parli, perdio!»

«... suo fratello gemello.»

«Vada pure, grazie.»

Era impossibile. Aveva avuto un fratello gemello che non ricordava pirchì era morto ad appena un anno di età, non sapeva come. Glielo aveva contato sua matre. Chi poteva essere un omo accussì somigliante a lui?

Squillò il telefono.

«Dottore, c'è un tale che vuole parlarle.»

«Sia precisa. Che significa "un tale"?»

«Non ha voluto dire il nome. Dice però che è importante. Che faccio?»

«Me lo passi.»

«Pronto, sei tu?»

«Chi parla?»

«Come fai a non capire chi ti sta parlando?»
La voce infatti gli arrisultava vagamente familiare.
«Senta, non ho tempo da perdere.»
«È vero.»
«Cosa?»
«Che non hai più tempo da perdere. Hai ricevuto la pagina che ti ho fatta avere? È la tua.»
«Che significa che è la mia?»
«Non hai visto che è già tutta scritta?»
«Sì. E che viene a dire?»
«Che non ci si può più scrivere altro.»
E sentì che lo sconosciuto aveva riattaccato.
E capì macari che la voce che gli aveva appena parlato era la sua stessa voce.
S'arrisbigliò assammarato di sudore.

Alle dieci spaccate dell'indomani matina era assittato nella sala d'aspetto dello studio di Caruana. Era tanticchia a disagio per la visita alla quale da lì a poco l'amico medico lo avrebbe sottoposto. Come fanno le fimmine ad andare con tanta disinvoltura dal ginecologo?
«Venga» fece rivolta a lui l'infirmera restando sulla porta.
«Ma io c'ero prima!» protestò un sittantino sicco sicco.
«È stato il professore che ha detto di fare così» disse l'infirmera con un tono che non ammetteva replica.
Con Caruana s'abbrazzaro.
«Lo sai che sei molto dimagrito dall'ultima volta che ci siamo visti? Ti sei messo a dieta?»
«No.»
«Soffri di disappetenza?»
«Negli ultimi tempi, sì.»
«Dammi le analisi. Scusami se vado di fretta, ma...»
Stette un pezzo a studiarsele.
«Ieri sera e stamattina l'hai preso l'antibiotico?»

«Sì.»

«Ti sei misurata la febbre?»

«Sì. Trentotto meno due.»

«E nei giorni precedenti?»

«Non me la sono misurata perché non me la sentivo. Come ieri sera, del resto.»

«Non te la sentivi, ma ce l'avevi. Calati pantaloni e mutande e appoggiati lì con le mani.»

Fu una cosa imbarazzante. E durò più di quanto avesse pensato.

«Va bene, rivestiti.»

Caruana andò ad assittarsi darrè la scrivania, a lui lo fece accomodare sopra a una seggia che c'era davanti.

«Per quanto riguarda il disturbo di cui soffri da qualche tempo, non è niente di grave, una banale infezione.»

«Dovuta a cosa?»

«Non è d'origine sessuale, stai tranquillo.»

E fece un sorriseddro, ma si vedeva che era favuso.

«Continua con l'antibiotico, vedrai che in una settimana ti passa. Ma...»

«Ma?»

«Non mi piacciono per niente i risultati del PSA. Hai i valori sballati assai. E meno ancora mi piace quello che ho sentito palpando.»

«Che devo fare?»

«Sei andato in pensione, mi pare.»

«Sì.»

«E quindi sei libero da impegni d'ufficio.»

«Veramente mi hanno offerto un lavoro che...»

«Rimanda di qualche giorno.»

«Perché?»

«Perché voglio che ti veda un amico mio. Però si tratta di esami abbastanza lunghi e per almeno un paio di giorni dovrai startene in clinica.»

«Possiamo cominciare dalla settimana prossima?»
Aveva bisogno di tanticchia di tempo per abituarsi all'idea.
«Secondo me, è meglio se te li fai senza perdere tempo.»
«Va bene.»
«Ora telefono al mio amico che sicuramente ti trova un posto nella sua clinica. È il professor De Caro.»
«L'oncologo?!»
«Sì.»

# IX

Al punto in cui erano le cose, non aveva più nisciuna possibilità di tenere ammucciata la situazione ad Adele.

Decise di dirglielo a tavola, a quattr'occhi, accussì lei non avrebbe avuto molto tempo a disposizione per fare domande troppo circostanziate. Ma pirchì faceva di tutto per non contarle veramente quello che gli stava capitando? Le ragioni forse erano tante e non tutte arrinisciva a metterle a foco bene. Che non volesse procurarle un pinsero non era certo la ragione principale, sapeva benissimo che lo stare preoccupata d'Adele avrebbe avuto una durata massimo massimo di una mezza jornata, poi la preoccupazione sarebbe stata travolta dai suoi impegni pubblici e soprattutto personali.

Adele era come uno di quei passeri che, doppo che un temporale li ha completamente assammarati standosene allo scoperto sopra un ramo, si danno una sgrullata frullando le ali e tornano a essere più asciutti di prima.

No, forse la ragione vera era che non voleva mostrarsi menomato, debilitato, all'occhi di Adele.

All'occhi d'Adele o non piuttosto all'occhi di Daniele?

Da quando si era portata l'amante sotto lo stesso tetto, sua mogliere aveva messo in atto una strategia tendente a escluderlo dal centro vitale della casa, costituito soprattutto dalle cammare di lei. Ma se ora le avesse contato che non era più in bona salute, questo avrebbe potuto rappresentare per i due amanti una specie di dichiarazione di abbandono di campo. Non capita accussì macari tra gli armali, che quando il capobranco è vecchio e malato viene e-scluso a favore dell'armalo mascolo più giovane? Quando scinnì scoprì che, manco a farlo apposta, quel jorno Daniele non era andato all'università epperciò mangiava con loro. E Adele aveva già finito il primo.

Lui si tirò il paro e lo sparo: parlare a sua mogliere in presenza del picciotto o farlo quando non c'era? Decise di non dirglielo a parte. Se era vero, come era vero, che Adele aveva armato tutto quel mutuperio con Ardizzone per tenerlo lontano da casa, la notizia che stava per darle le avrebbe in qualche modo fatto piacere e lui non voleva perdersi il complice gioco di taliate tra lei e Daniele. Era un teatrino al quale gli piaceva assistere a malgrado la banalità, la prevedibilità del copione.

«Scusami se non ti ho aspettato» disse sua mogliere appena lo vitti trasire. «Devo fare in fretta, perché ho una riunione importante subito dopo pranzo.»

Daniele invece l'aveva aspettato per cominciare.

«Hai cinque minuti? Ti devo dire una cosa.»

«Non puoi dirmela a cena? Ti ho appena spiegato che ho una riunione» disse Adele infastidita.

«Stasera non ci sarò.»

«Ceni fuori?» spiò lei, meravigliata per la novità.

«No. È che alle cinque devo entrare in clinica.»

Daniele isò l'occhi a taliare Adele, ma lei invece continuò a taliare a suo marito.

«Clinica? Che clinica?»

«Siccome soffrivo di un certo disturbo, mi sono fatto visitare da Caruana, l'urologo.»
«E che ti ha detto?»
Non gli parse estremamente preoccupata.
«Mi ha mandato da uno specialista.»
«Ma Caruana non lo è?»
«Sì, certo, ma ha bisogno di...»
«Vuole il parere di un altro medico?»
«Sostanzialmente, sì.»
«E chi è?»
«Non lo conosci.»
Fece una pausa, doppo riattaccò.
«Perché non me ne hai mai parlato?»
«Che te ne parlavo a fare?»
Dal tono, lei capì il senso offensivo della domanda e nei suoi occhi passò un lampo di rabbia.
Lui però non se la sentiva d'affrontare una discussione, e fece in modo di farla abortire.
«Mi pareva una cosa da niente.»
«E non lo è?»
«Non volevo dire questo.»
«Ma quanto devi starci in clinica?»
«Quattro giorni al massimo, mi devono fare esami, analisi, accertamenti, le solite cose.»
«Proprio nei giorni in cui non saprò come dividermi!»
Lui fece una risateddra.
«Ma che ti passa per la testa? Di venirmi a trovare? Ma dài!»
«Senti» fece lei taliando il ralogio e susennosi da tavola. «Vuoi che faccia qualcosa?»
«Che vuoi fare? Giovanni mi ha già preparato tutto. Ti telefonerò e ti terrò al corrente.»
«Mi raccomando» disse lei niscenno.
Doppo tanticchia che lei era andata via, Daniele gli rivolse la domanda che Adele non gli aveva fatta.

«Che clinica, zio?»
«Quella di De Caro.»
Vide chiaramente Daniele sussultare. Era uno studente di Medicina, epperciò conosceva la specializzazione di De Caro.
Glielo avrebbe detto lui, ad Adele, che malatia poteva avere uno che andava in quella clinica.
Quel jorno, approfittando che sua mogliere se n'era andata di prescia, non toccò cibo.
«Vuoi che ti accompagni in clinica, zio?»
«No, grazie.»

Andò nello studio e avvertì a Mario Ardizzone che prima di una simanata, a causa di alcuni accertamenti ordinati dal medico, non si sarebbe fatto vedere in ufficio.
«Quindi non avrà nemmeno tempo per dare un'occhiata alle carte» fece Ardizzone senza manco spiargli di quale malatia pativa.
«Al contrario, credo che avrò tutto il tempo che voglio. Ho ottenuto una stanza singola e posso lavorare in santa pace.»
«Mi raccomando, stia attento, non lasci in giro le carpette. Non vorrei che occhi indiscreti...»
«Stia tranquillo. Tra una settimana sarò di sicuro in grado di dirle tutto sulla fusione.»

La cammara della clinica non poteva certo dirsi piccola, aveva una bella finestra che dava su un parco, c'erano un tavolinetto, un armadietto e un televisore, il bagno era privato. Se non era per l'arredamento, mobili tipici d'ospedale in plastica e metallo cromato, poteva parere la stanza di un albergo di media categoria.
Aveva già messo le due carpette con le carte delle finanziarie sul tavolinetto, ma dovette levarle quan-

do, alle sette, gli servirono la cena. Lui, che già si sentiva lo stomaco chiuso, all'idea di mangiare accussì anticipato venne pigliato dalla nausea. Arriniscì, a malappena, ad agliuttirisi una pera. Quando si portarono via i piatti, rimise sul tavolino le due carpette, le raprì e accomenzò a studiare i documenti.

Fu la prima e l'ultima volta che ebbe modo di taliarli nei jorni che restò in clinica.

Pirchì gli straminii principiarono l'indomani a matino alle sei, quando l'infirmera venne a raprirgli la finestra.

Lui stava già vigliante da una mezzorata, ma aveva preferito restarsene corcato, si era arrisbigliato stanchissimo come se per tutta la nottata non avesse fatto altro che caminare in salita.

«Come faccio per avere un caffè?»

«Caffè?! Il signore vuole un caffè o la colazione completa a letto?» lo sbeffeggiò l'infirmera. «Ma lo sa o non lo sa che deve fare una caterva d'analisi?»

E doppo le analisi, vennero le radiografie; e doppo le radiografie, vennero le risonanze magnetiche; e doppo le risonanze magnetiche, vennero le TAC. E continue visite non solo imbarazzanti, ma macari dolorose.

Non ebbe la possibilità di pinsare a nenti, la sua vita passata era stata come scancellata di colpo, ora era solo come un pupo, ma di carne, che veniva passato da mano a mano.

Al matino del quarto jorno lo lassarono dormire in pace. Ma alle nove s'appresentò De Caro.

«Ho già telefonato all'amico Caruana che la saluta.»

«Grazie.»

Non disse altro, si limitò a taliare interrogativo il professore.

«Sono abituato a parlare chiaro ai miei pazienti.»

«Mi dica.»

«Che ci sia un tumore alla prostata non c'è alcun dubbio.»

Strammò. Che gli annava dicenno, quello? Tumore?!

Stava per cedere allo scanto quando s'arricordò che macari Tumminello, il condirettore centrale del quale aveva pigliato il posto, si era ammalato di tumore alla prostata, era stato in ospedale, ma doppo era tornato a travagliare tranquillamente fino a quando era andato in pensione, tre anni doppo.

«Che c'è da fare?»

«Secondo me bisognerebbe operare senza perdere tempo. Sempre che lei sia d'accordo.»

Cosa poteva rispondere? Era più confuso che pirsuaso, quello che gli aveva detto De Caro ancora non gli era trasuto bene in testa.

«Se lo dice lei, professore...»

«Allora dopodomani la opero. Non si preoccupi, non è per niente un'operazione difficile. Ne facciamo tantissime, routine. Tra una settimana al massimo sarà di nuovo a casa.»

A casa.

Furono queste parole a fargli venire in mente che non aveva mai telefonato ad Adele. E manco lei l'aveva chiamato.

Pigliò il cellulare, fece il numero. Gli rispose Giovanni.

«La signora non c'è, signore, è partita ieri mattina.»

«Dov'è andata?»

«A Taormina, per un convegno.»

Come mai non gliene aveva parlato, di questo convegno? Un convegno si prepara con mesi e mesi d'anticipo. Di certo lei lo sapeva già da tempo ed era decisa ad andarci, l'ultima volta che si erano visti. Forse una spiegazione per quel mistero c'era.

«Mi passi Daniele.»
«Il signorino ha accompagnato la signora.»
Ecco la spiegazione, quella che aveva immaginato.
«Quando tornano?»
«Oggi pomeriggio.»
In tempo per la sua nisciuta dalla clinica, che però non sapevano che era stata rimandata. Se non avesse telefonato al cammarere, non avrebbe saputo nenti di quella gita, perché loro di certo non gliene avrebbero parlato. «Senta, Giovanni, siccome dovrò restare qua ancora per qualche giorno, avrei bisogno che lei mi portasse della roba pulita. Prenda nota.»
E dunque Adele e Daniele non avevano perso tempo per mettere a profitto la sua assenza. Pirchì ne era rimasto scosso? Pirchì sinni sdignava? Non l'aveva sempre saputo?

Sinni stette tutta la matinata corcato.
Verso le tre squillò il cellulare che teneva sul comodino. Sobbalzò, non se l'aspettava, gli parse che la suoneria facesse più rumorata di una fanfara.
«Speravo di trovarti a casa e invece Giovanni m'ha detto...»
«Sì, devo restare ancora qualche giorno.»
«Ma perché?»
«Dopodomani mi operano.»
«Ti operano? E di che?»
«M'hanno trovato un tumore.»
«O Dio mio! Ma che dici?!»
La voce le si era stracangiata.
«Senti, non ti agitare, De Caro mi ha detto che...»
«Fino a che ora sono permesse le visite?»
«Non lo so.»
«Arrivo subito.»
«No.»
Quel "no" gli era nisciuto d'impeto, e sentì chiara-

mente che lei, per la sorpresa, tirava il sciato, facendo una specie di singhiozzo.

«Ma perché?»

«Non venire per nessun motivo.»

«Sei impazzito? Perché non...»

«Non mi piace vederti qua.»

«Ma io ho tanta voglia di...»

«E io no.»

«Starò solo cinque minuti.»

«No. Preferisco godermi il pensiero di ritrovarti a casa quando torno. Mi capisci?»

«Per niente. Ma se non vuoi...»

«Brava. Dopo l'operazione, appena sono in condizioni di farlo, ti chiamo. Va bene?»

«Se a te va così...»

Astutò il cellulare scantandosi che lei lo richiamasse insistendo ancora. Non l'aveva fatto per ripicca alla sua breve fuitina con Daniele. Ma la vista di Adele in quell'ambiente asettico, estraneo, privo di intimità, l'avrebbe disturbato assà. Di lei aveva un'immagine che desiderava preservare intatta, non voleva che se ne sovrapponesse un'altra, quella della mogliere in visita al marito malato, la faccia di circostanza, l'ariata dimessa... E poi, che veniva a fare? Si sarebbe assittata sulla seggia di metallo, macari sarebbe arrinisciuta a spremere qualche lagrima e... di che avrebbero potuto parlare? Certo non poteva spiarle i dettagli della sua gita a Taormina.

Paradossalmente, piuttosto che in clinica, avrebbe preferito vederla al Motel Regina. Di sicuro sarebbe stata meno impacciata.

Alle sette del mattino di due jorni appresso s'appresentò un infirmeri per prepararlo all'operazione. Stavolta non provò nisciuna vrigogna.

L'operazione era andata benissimo, gli disse il professore. C'era la camurria del catetere, ma a quello ci si abitua.

«Dopodomani potrà tornare a casa. Prima di farla uscire, passerò a salutarla.»

Lui non provava niente, solo che si sentiva tanticchia intordonuto. Telefonò ad Adele.

«So tutto» disse lei subito con voce allegra. «L'operazione è andata benissimo.»

Come faceva a saperlo?

«Chi te l'ha detto?»

«Ho chiamato De Caro.»

«Lo conosci?»

«No. Ma sua moglie fa parte della nostra associazione. Dopodomani ti viene a prendere Giovanni. Chiamalo quando stanno per dimetterti. Io purtroppo ho una riunione alla quale non posso mancare, altrimenti sarei venuta. Ce l'hai con te, il libretto degli assegni?»

Sempre precisa e attenta, sua mogliere. 'Nzamà Signuri ritardare un pagamento, mancare un appuntamento, arrivare tardo, scordarsi di una cosa macari minima. E soprattutto, sempre col vestito adatto all'occasione. Gli venne gana di non farsi la barba, accussì Adele, appena lo vedeva, gli avrebbe dato una taliata di rimprovero.

Il jorno appresso ci fu una sgradevole novità. L'infirmera l'arrisbigliò alle sette del matino mentre lui pensava di poter restare corcato fino a tardo, dato che era convalescente e si sentiva ancora debole.

«Che c'è?»

«Deve rifare le radiografie.»

Ancora?! Si ricominciava daccappo? Più che preoccuparsi, s'innervosì.

«Posso sapere perché?»

«Non lo domandi a me. Io faccio quello che mi dicono di fare. Ha bisogno di andare al gabinetto?»
«Sì.»
«Ci vada, ma non si lavi. La laverò io. Non deve stare troppo in piedi.»
Oramai la vrigogna era un lontano ricordo.

Nel doppopranzo non lo disturbarono. Volendo, avrebbe potuto macari travagliare alle carte delle finanziarie, ma gliene fagliava la gana. Che erano venute a significare quelle nuove radiografie? Non gliele avevano già fatte in tutto il corpo, polmoni compresi? Perché stavolta si erano limitati ai polmoni? Che cercavano? C'erano complicazioni? A un certo punto non resistette più e chiamò l'infirmera.
«Potrei parlare col professor De Caro?»
«In linea di massima, nessun paziente può domandare di parlare col professore. Ma anche se volessi fare un'eccezione, non potrei: il professore sta operando.»
Ma oramà gli era venuta una smania da non reggere. Si può trattare un malato accussì, senza dirgli né scu né passiddrà? Telefonare ad Adele perché s'informasse? No, non era cosa.
Gli venne a mente Caruana. Ebbe la fortuna che glielo passarono subito.
«Che c'è? Va tutto bene, no? De Caro è un amico, mi tiene informato.»
«Andava bene. Ma stamattina mi hanno rifatto le lastre ai polmoni.»
«Embè?»
«Vorrei sapere perché.»
«Vuoi che lo chieda a De Caro?»
«Te ne sarei grato. In questo momento sta operando.»

«Vuol dire che gli parlerò tra un due orette. Stai tranquillo, appena ho notizie ti chiamo al cellulare.»

Ma Caruana non gli telefonò e quando lui lo chiamò a casa, verso le dieci di sera, rispunné la mogliere dicennogli che suo marito non era ancora tornato. Fece il numero dello studio e il telefono sonò a vacante. Lo chiamò sul cellulare e arrisultò astutato.

Passò una nottata infame.

L'indomani a matino scinnì dal letto alle sette senza che nisciuna infirmera fosse venuta ad arrisbigliarlo. Questo lo rassicurò tanticchia. Stava a significare che non ci sarebbero stati contrordini, tra qualche orata sarebbe nisciuto. Andò in bagno, si puliziò, si fece la barba, si vestì, pigliò le sue cose e le mise in valigia, comprese le due carpette.

Alle otto meno dieci ritelefonò a Caruana. Stavolta il telefono squillò a lungo a vacante. Possibile che manco la mogliere era in casa? Oppure Caruana non voleva parlargli?

Non se la sentì di cercarlo sul cellulare. Era sicuro di trovarlo astutato. Doppo, non sapendo che fare, s'assittò e addrumò la televisione, cosa che non aveva mai fatto in tutti quei jorni.

Alle nove s'appresentò nella cammara una beddra picciotta che non era vestita da infirmera.

«Il professore l'aspetta nel suo studio tra una mezzoretta. Lasci pure la valigia qua. La faccio scendere in portineria. Se intanto vuole passare dall'amministrazione...»

Si sentì arricreare. Se lo facevano nesciri, le radiografie del jorno avanti le avevano fatte ammatula. E quindi, se Caruana non gli aveva telefonato né aveva risposto alle sue chiamate, veniva semplicemente a dire che era troppo impegnato. Il conto era già pronto. Firmò un assegno, si fece spiegare dov'era lo studio del professore, pigliò l'ascensore, scinnì due piani, trovò la porta, tuppuliò, una voce fimminina gli disse di entrare e quando trasì s'attrovò davanti alla beddra picciotta di prima, assittata darrè a una scrivania.

«Vado a vedere se può riceverla.»

Si susì, raprì una porta, trasì richiudendola. Riapparve un minuto appresso.

«Si accomodi.»

# X

De Caro si susì, gli pruì la mano, lo fece assittare. Stava scrivenno a penna sul ricettario.

«Un secondo solo e sono da lei.»

Ma lui non arriniscì a tenersi.

«Mi scusi, professore, ma perché ieri mi hanno rifatto le radiografie ai polmoni?»

De Caro fece come se non avesse sentito la domanda, continuò a scrivere ancora per cinco minuti. Doppo posò la penna, s'appoggiò alla spalliera, lo taliò e finalmente s'addecise a parlare.

«Vede, io, prima di dimettere un paziente, ho l'abitudine di ripassare ben bene tutto quello che gli abbiamo fatto in clinica. Analisi, esami, accertamenti pre e postoperatori. Non si tratta di un riassunto, no, io mi riguardo i risultati degli esami come se lei fosse ancora da operare. Chiaro?»

«Chiarissimo.»

«Bene, l'altroieri pomeriggio, ricontrollando tutto ciò che la riguarda, mi sono accorto di una noticina di Santangelo, il radiologo. Diceva appunto che, prima di dimetterla, sarebbe stato opportuno sottoporla a un nuovo esame. Ecco tutto.»

«Sì, ma perché?»

«Santangelo aveva notato, nelle prime radiografie, un'ombra, assai piccola, che non l'aveva persuaso. Per questo consigliava una verifica.»

«E quale è stato il risultato di questa verifica?»
«Che l'ombra c'è. Lei non è un fumatore, vero?»
«Non ho mai fumato.»
«E a quanto risulta dalle sue dichiarazioni, non ha mai sofferto di forme catarrali.»
«No.»
«Mai avuto polmoniti, pleuriti, bronchiti.»
«Esatto. Professore, non potrebbe essere più chiaro?»
«È mio dovere essere sempre chiaro. Noi supponiamo, ma è solo una supposizione, badi bene, glielo ripeto, una semplice supposizione, che possa trattarsi di una metastasi.»
Si sentì sprufunnari, con tutta la seggia, suttaterra. In un attimo s'attrovò vagnato di sudore. Fu persino impossibilitato a raprire vucca. Restò a taliare a De Caro con l'occhi sgriddrati. Il professore s'addunò del suo scanto.
«Con la stessa franchezza devo dirle che, nel malaugurato caso si trattasse di una metastasi, potremmo operare con relativa facilità, data la collocazione e la dimensione.»
«Che... che cosa devo fare?»
«Lei intanto per una settimana se ne va a casa e si riposa per bene, poi torna qua e facciamo altre radiografie, per le quali non ci sarà bisogno di ricoverarla. E soprattutto si metta in testa che la nostra è, allo stato attuale, una semplice supposizione.»
Gli pruì due fogli.
«Qua le ho scritto i medicinali che le servono. Deve cominciare oggi stesso. E in quest'altro foglio ci sono le istruzioni.»

Giovanni fermò la machina nelle vicinanze di una farmacia e scinnì con la ricetta in mano per accattare le medicine.
"E dunque" pensò amaramente lui mentre aspitta-

va, "la malatia mi ha chiamato, a sorpresa, in servizio. Ora mi concede una simanata di licenza premio, ma subito appresso debbo ripresentarmi in caserma. Mi manderanno in congedo o mi faranno restare in servizio permanente effettivo?"

Giovanni tornò con un sacchetto di plastica e ripartirono. Per passare tempo, si mise a taliare le scatolette dei medicinali. C'erano macari delle gnizioni da fare due volte al jorno.

«Giovanni, lei conosce qualche infermiera?»

«Per la notte, signore?»

«No, per fare le iniezioni.»

«Ah, credo che abbia già provveduto la signora.»

Si innirbusì. Evidentemente Adele aveva già telefonato la sera avanti a De Caro e aveva saputo come stavano le cose. D'altra parte, meglio accussì, Adele non l'avrebbe sottoposto a interrogatori.

Erano arrivati. Giovanni trasì nel cancello della villa, fermò la machina ai pedi della scala di darrè.

«Ce la fa a salire, signore? Vuole che l'aiuti?»

«Non ho nessun bisogno d'aiuto» arrispunnì, infastidito.

Acchianò a lento, appoggiandosi con tutto il peso al corrimano. Si sentiva stroncato. Non dall'operazione, ma dalle ultime parole di De Caro. Era ancora a metà scala quando il cammarere lo raggiunse con la valigia in mano, doppo avere messo la machina in garage.

Appena trasuto in casa stava per girare a mano manca per andare nella sua cammara da letto, quando vinni fermato dalla voce di Giovanni.

«Dall'altra parte, signore.»

«Perché?»

«La signora, iersera, ci ha fatto spostare i mobili.»

Ma che gli stava vinenno in testa, a sua mogliere? Voleva che tornasse a corcarsi con lei nella cammara matrimoniale? La porta eternamente chiusa, quella che divideva i due appartamenti, stavolta era spalancata davanti a lui. Trasì, accomenzò a percorrere il corridoio e doppo tri passi il cammarere lo fermò nuovamente.

«Per di qua, signore.»

Era nella stanza di Daniele che Adele aveva fatto spostare i mobili della sua cammara da letto.

La sorpresa fu tale che ebbe come un giramento di testa. Dovette assittarsi di prescia nella poltrona. La debolizza lo stava rendendo come un filo d'erba, bastava appena un alito di vento per piegarlo.

«E Daniele?»

«La signora ha deciso che il signorino dormirà nell'altro appartamento, nella stanza dove dormiva lei.»

«Mi porti un po' d'acqua, per favore.»

Non aveva bisogno di viviri, ma d'allontanare per tanticchia il cammarere. Perché, a tradimento, gli era venuto un nodo alla gola e l'occhi gli si erano inumiditi.

Nel dormiveglia, avvertì che qualcosa gli si era posato sulla fronte. E doppo arriconoscì le labbra di Adele. Allora non volle raprire l'occhi. Sua mogliere da un pezzo aveva perso l'abitudine di vasarlo. Una volta, prima di nesciri da casa o quando tornava, lo faciva sempre, non mancava mai. Nenti di particolarmente affettuoso, solo una forma di amichevole saluto. Doppo, non aveva manco fatto più questo.

Appresso capì che lei era nisciuta dalla cammara senza fare la minima rumorata per non arrisbigliarlo.

Doppo tanticchia sentì che era tornata.

Allora raprì l'occhi.

Adele sinni stava addritta in mezzo alla cammara, immobile, e lo taliava. Appena vide che si era arrisbigliato non disse nenti, currì verso di lui, s'agginocchiò e posò una guancia sul dorso della sua mano.

Che le stava capitando, a sua mogliere? Era possibile che, a forza d'innaffiare, nel deserto fosse spuntato un germoglio nico nico?

In quel momento trasì Daniele e a vederli accussì si fermò imparpagliato. Macari Adele lo vitti, ma non si cataminò dalla sua posizione.

Fu lui a parlare per primo.

«Come va, Daniele?»

Il picciotto s'arripigliò dallo stupore.

«Come va a te, zio, piuttosto! Che grande gioia rivederti a casa! Spero che tu ti trovi bene nella mia ex camera.»

«E tu nella mia.»

«Zia, ti volevo avvertire che mangio alla mensa.»

Lei sollevò tanticchia la testa.

«Va bene, Daniele. Ciao.»

E riappuiò la guancia sulla mano di lui.

«Così stai scomoda.»

«Lasciami stare ancora un poco.»

Gli viniva d'arridiri. Ma quale germoglio e germoglio! Il deserto sempre sterile restava!

Aveva capito lo scopo della rappresentazione. Pirchì di questo si era trattato, di una rappresentazione destinata a un unico spettatore: Daniele. Lei, quando era nisciuta dalla cammara doppo averlo vasato, doveva aver sentito che il picciotto stava venendo nel suo appartamento ed era rientrata subito per recitare la parte della mogliere preoccupata, devota e amurusa. Era macari una giustificazione per l'allontanamento dell'amante: ora che mio marito è malato, gli stava in sostanza dicendo, ognuno deve rientrare nel proprio ruolo, senza sgarrare.

Almeno, per quella simanata che lui sarebbe rimasto in casa.

«Perché mi hai spostato qua?»

«Perché qua è più comodo.»

«Per fare cosa è più comodo?»

«Se di notte ti occorre qualcosa, io sono a due passi» fece lei susennosi. «Mi chiami e vengo. Ah, senti, ho disfatto la valigia, c'erano due carpette che ho messo sopra la scrivania del tuo studio.»

Si era completamente scordato delle carte di Ardizzone. Che fare? Telefonargli dicendogli che avrebbe dovuto rimandarne ancora la visione? Doppo pensò che non ce n'era bisogno. Mario Ardizzone di certo era tenuto costantemente al corrente del suo stato di salute da Adele.

«Vuoi mangiare a letto o te la senti di scendere?»

«Se devo dirti la verità, non me la sento di mangiare.»

«E invece devi sforzarti. De Caro non mi ha raccomandato altro. Ti ho fatto preparare un brodino con dentro un uovo. Che vuoi fare?»

«Vengo giù.»

«Bene. Allora resta ancora un poco a riposarti. Tra un quarto d'ora arriva l'infermiera.»

E sinni niscì.

Doppo tanticchia sentì la sua voce. Stava telefonando dall'apparecchio che c'era sul comodino della cammara da letto. Che strammo! A malgrado che in mezzo ci fosse la cammaretta nella quale, per un certo periodo, Adele l'aveva fatto dormire da solo con la scusa che russava, ad appizzare bene le orecchie si distingueva macari qualche parola.

«... spostare l'orario... non posso... mio marito... d'accordo... cerca di capirmi...»

L'infirmera che doveva fargli l'endovenosa s'appresentò con un leggero anticipo. E appresso a lei c'era Adele che sinni stette per tutto il tempo muta a taliare.

A tavola, chiudendo l'occhi per non vedere il contenuto del piatto, lui arriniscì ad agliuttirisi la minestrina.

Doppo si andò a corcare per recuperare tanticchia del sonno perso la notte avanti. E col sonno, sperò di riacquistare macari un poco di forza. Ma che era tutta 'sta dibolizza che gli era vinuta doppo l'operazione e che lo faceva faticare addirittura a stare addritta?

Adele l'arrisbigliò che erano le cinco e mezza.

«Scusami, ma devi prendere la compressa.»

Intordonuto, non realizzando per un momento in quale cammara s'attrovava, si susì a mità e allungò una mano. Adele gli pruì la compressa, lui se l'infilò in bocca e sua mogliere allora gli dette un bicchiere d'acqua.

Con un cammisi bianco, sarebbe stata un'infirmera perfetta.

«Resta ancora a letto, se ti va. Tanto, l'altra iniezione te la devi fare alle sette.»

E alle sette tornò con l'infirmera. Restò muta a taliare, come aveva fatto in matinata.

Ma pirchì si sentiva in dovere d'assistere a una cosa banale come una gnizione endovenosa?

Quella notte, forse perché aveva dormito tanto nel pomeriggio, s'arrisbigliò che erano da picca passate le tre. La cammara degli ospiti, cioè quella di Daniele dove lui ora era stato messo, aveva il bagno proprio di fronte. Ci andò, ma quando niscì per tornare a corcarsi, notò che dalla porta della cammara matrimoniale, semiaperta, filtrava luce. A pedi leggio, andò a taliare.

Il letto era disfatto, ma vacante. Sinni tornò nella sua cammara, chiuse la porta. Evidentemente Adele, doppo essersi messa a letto, non aveva resistito più di tanto ed era andata a trovare Daniele.

Quindi si era sbagliato: ognuno doveva stare al proprio posto solo durante il giorno. La notte, invece, si potevano scangiare letti e ruoli.

L'indomani matino fu Adele a portargli il cafè a letto. Non l'aveva mai fatto, in dieci anni di matrimonio.

«Ce la fai ad andare in bagno da solo?»

«Sì. Ci sono già andato stanotte. Anzi, ti ho chiamato, ma non mi hai sentito.»

Si muzzicò le labbra. Non c'era nisciuna necessità di dirglielo. Gli era scappato senza pensarci. Forse la dibolizza non era solo fisica, ma macari mentale.

«Strano. Che volevi?»

Disse la prima cosa che gli passò per la testa.

«Una camomilla.»

«Che ora era?»

«Saranno state le tre.»

«Ah, credo che a quell'ora anch'io sono andata in bagno. Per questo non ti ho sentito. Potevi richiamarmi dopo cinque minuti.»

«Fortunatamente ho pigliato sonno.»

Passò la matinata a leggere i giornali che gli aveva portato Giovanni. Solo che, contrariamente al solito, s'arrefutò di taliare i necrologi.

All'arrivo dell'infirmera, ci fu un cangiamento. A riempire la siringa fu Adele che ogni tanto spiava all'infirmera:

«Va bene così?»

A mettergli il laccio, a cercargli la vena e a fargli la gnizione fu sempre lei. Lui non notò nisciuna differenza di mano.

Quando l'infirmera sinni niscì dalla cammara, lui le spiò:

«Perché hai voluto farmela tu?»

«Da oggi in poi ci penso io, a te.»

«E i tuoi impegni?»

«Non ti preoccupare. Mi sono organizzata per questo.»

Quella notte stissa s'arrisbigliò che erano le due. E gli vinni in testa di fare una prova. Addrumò la lampada sul comodino e chiamò:

«Adele!»

Nisciuna risposta. Allora chiamò più forte. E stavolta sentì la voce di lei:

«Vengo!»

Arrivò, meravigliosamente sciaurando di letto.

«Ti senti male?»

«No. Solo che non riesco a pigliare sonno. Scusami se ti ho disturbata. Potresti farmi una camomilla?»

«Ma certo!»

E fece di più. Aspittò, corcata allato a lui in pizzo in pizzo al letto, che finisse di vivirisi tutta la camomilla. Ogni tanto allungava una mano e gli carizzava la fronte.

Ma com'era fatta quella fimmina? Possibile che appena si faceva una convinzione su sua mogliere, bastava un gesto di lei per mandare tutto all'aria?

La matina del terzo jorno, Adele, venuta a fargli la gnizione, s'appresentò con una signora che lui non conosceva. Aveva qualche anno meno di sua mogliere ed era elegantissima.

«Scusami se ho portato con me la mia amica Aurelia. Non mi andava di lasciarla giù ad aspettare, tanto mi sbrigo in un attimo.»

E cominciò a preparare la siringa.

Lui tentò di isarsi dalla poltrona, ma la signora Aurelia fu più lesta di lui. Si precipitò a pruirgli la mano.

«Comodo, per carità. E mi scusi l'intrusione, ma Adele...»

Finita la gnizione, sua mogliere si calò a vasarlo in fronte.

«Hai bisogno di qualcosa? Io oggi purtroppo avrei un impegno per pranzo. Ma se vuoi, resto.»

«Figurati! Vai, vai.»
«Auguri» gli disse con un sorriso la signora Aurelia.
«Grazie.»
Seconda rappresentazione a uso dell'amica Aurelia che certamente ne avrebbe parlato alle altre amiche.
«Voi non avete idea com'è Adele con suo marito! A parte il fatto che gli fa lei stessa le iniezioni, è così cara, così premurosa, così affettuosa! Sapete che pare proprio un'altra persona?»

La sera, quando Adele l'accompagnò in cammara, lui s'addecise a domandarle quello che gli firriava per la testa dal jorno avanti.
«Domani mattina... quando ti alzi... posso venire con te?»
Lei lo taliò imparpagliata, certo non capiva dove lui volesse andare con lei. Poi se l'arricordò. Sorrise.
«Certo che puoi. Ti porto il caffè e poi...»
E fu di parola.
Come ai vecchi tempi, lo fece prima assistere e poi partecipare alla cerimonia, pruiennogli la spazzola per i capelli. Lui accomenzò, ma dovette assittarsi subito. Non si reggeva addritta. Lei fici finta di nenti. Passati nel cammarino-spogliatoio, Adele non ebbe esitazioni a scegliersi il vestito. Da quando lui era tornato, aveva avuto modo di notare che Adele non aveva più indossato né pantaloni né vestiti dai colori accesi. Gonne sotto il ginocchio, camicette castigatissime e sempre su toni spenti.
«Mi apri tutto l'armadio?»
«Perché?»
«Voglio vedere il tuo guardaroba.»
Lei ubbidì, raprendo tutte le ante, meno l'ultima a mano manca.

«E quella?»
«Ma lì ci tengo solo l'abito da sposa, quello nero e il tailleur grigio.»
«Apri lo stesso.»
Notò subito che mancava un vestito.
«E il tailleur grigio?»
«Ah, quello? L'ho mandato a una lavanderia che m'ha raccomandato Gianna. Pare che riusciranno a far scomparire quella brutta macchia.»
La brutta macchia. Quella del sangue del suo primo marito.

La matina del settimo jorno non gli portò il cafè. Si limitò ad arrisbigliarlo.
«Ti accompagno in clinica.»
«Ma non ti disturbare, c'è Giovanni.»
«Ti devo accompagnare io.»
Aveva sbagliato la scelta del verbo. Avrebbe dovuto dire "ti voglio" invece che "ti devo".
Stavolta la rappresentazione avrebbe avuto un maggior numero di spettatori, gli infirmeri, i medici, lo stesso professor De Caro.
«E la valigia è già pronta.»
«Quale valigia? De Caro mi ha detto che...»
«Lo so. Ci ha ripensato. Forse dovrà trattenerti qualche giorno in più.»

Nisci dalla clinica dieci jorni appresso. E Adele arriniscì, doppo molte insistenze, a farsi mettere un lettino nella stessa cammara, in modo di non abbandonarlo manco di notte.
Doppo averlo esaminato e riesaminato, al terzo jorno di degenza De Caro gli venne a dire che bisognava operare.
La notizia non lo pigliò a tradimento, oramà si era fatto persuaso che la sua malatia era assai più grave

di quanto gli voleva fare cridiri lo stesso De Caro, che si vantava di parlare sempre chiaro.

«Guardi, le espongo la situazione senza mezzi termini. Da tutti gli accertamenti a cui l'abbiamo sottoposta, non siamo riusciti a capire con esattezza quale sia l'entità del danno polmonare. Abbiamo deciso che l'unica cosa da fare è aprire e andare a vedere.»

Durante il discorso del professore, Adele gli tenne sempre la mano stritta con forza, tanto da fargli tanticchia di male alle dita.

«Ma i tuoi impegni?» le spiò un doppopranzo.

«Non ti preoccupare. Mi sono fatta sostituire temporaneamente.»

Certo che, a saperla accussì vicina, era un gran conforto.

Il quarto jorno s'appresentò Daniele. In quel momento era solo, Adele era andata a casa perché c'erano delle scadenze da rispettare.

«Ti trovo benissimo, zio. Sono venuto a salutarti e a ringraziarti di tutto. Di tanto in tanto verrò a trovarti.»

«Ma io spero di non restare in clinica per...»

«Non dicevo qua, zio, ma a casa tua. Mi sono trasferito in un appartamentino che m'ha trovato la zia. Starò là fino a quando tu non ti sarai del tutto rimesso.»

Non aviva la faccia contenta, mentre parlava. Anzi.

Adele gli aveva dato il foglio di via.

# XI

«Non c'è stato bisogno d'operarti» gli disse Adele tenendogli la mano non appena si ripigliò tanticchia dallo stordimento dell'anestesia.

Lui non arrinisciva ancora a parlare, il pirchì non l'avevano operato glielo spiò con l'occhi.

«Non era una metastasi. Ti hanno aperto inutilmente.»

Lui fece un gesto che Adele ancora una volta interpretò giusto.

«No, hanno fatto bene, altrimenti restava il dubbio.»

«Ma allora... che era... quell'ombra?...» arrinisci a spiare a fatica.

«Me l'hanno spiegato, ma non è che ci ho capito molto.»

Lui allora le strinse la mano più forte che poté, invitandola a continuare.

«Mi hanno detto che è come un grumo che si è formato e che cercheranno di sciogliere farmaceuticamente. Però mi hanno avvertito che sarà una cosa piuttosto lunga e debilitante.»

Un grumo? E di che? Che cosa si può aggrumare da quelle parti? Catarro? Sangue? Ma al momento era più importante un'altra cosa. Sempre con l'occhi, perché dire quelle poche parole l'aveva stremato, le fece un'altra domanda.

«Puoi stare tranquillo, De Caro ha detto che fra tre giorni al massimo possiamo tornare a casa.»

S'assopì, tanticchia rassicurato.

Almeno c'era questo di bono: che la malatia gli avrebbe benignamente fatto svolgere il resto del servizio fora dal rigore della caserma-spitale.

Stavolta però non lo venne a prendere Giovanni, né Adele pensò di offrirsi per riaccompagnarlo con la sua machina alla villa. Non era il caso.

«Sei troppo debole. E se mi svieni mentre sto guidando? D'altra parte De Caro vuole così.»

Due infirmeri lo misero su una barella, l'infilarono dintra a un'ambulanza, quando furono arrivati sempre in barella l'acchianarono al piano di sopra e furono sempre loro a metterlo a letto.

E a casa trovò un'altra novità: la sua cammara non era più quella di Daniele, ma Adele aveva voluto che tornasse a essere, doppo tanto tempo, la matrimoniale.

«E tu?»

«Io mi sono arrangiata nel camerino qui accanto.»

Quello dove un tempo lo mandava a dormire pirchì russava troppo, doppo che avevano fatto l'amore.

Da quel jorno in poi Adele quasi non niscì più da casa. Le sue assenze potevano durare due orate al massimo.

Ora le gnizioni quotidiane erano addivintate tre e gliele faceva sempre lei.

«A casa nostra non voglio che ti tocchino altre mani.»

E non sgarrava mai l'orario di una medicina.

Lui, pur stando quasi sempre corcato, si sentiva sfinito. E spesso lo pigliava una forte sonnolenza. Stramma assà, pirchì gli veniva a qualsiasi ora del jorno.

«Ma perché mi sento così?»

«Me l'ha detto, De Caro, che le possibili reazioni a questo tipo di cure sarebbero state senso di debolezza e sonnolenza. Non ti preoccupare.»

Stai tranquillo. Non ti preoccupare. Non ti agitare.

Almeno deci volte al jorno sua mogliere gli diciva accussì. Era proprio questo ripetersi, oramà addivintato quasi meccanico, che appunto non lo tranquillizzava, lo preoccupava e lo metteva in agitazione.

Avrebbe potuto fare una cosa semplicissima: telefonare a Caruana e farsi dire la virità. E infatti una o due volte pigliò in mano il cellulare, ma all'ultimo momento gli fagliò il coraggio di comporre il numero. E po', a sapirla o a non sapirla, la virità, che cosa cangiava?

Non aveva più gana di fare nenti, a stento taliava i giornali.

Il suo ciriveddro faticava a funzionare, come se mancasse di lubrificante agli ingranaggi.

Una matina l'occhio gli cadì supra a una notizia di cronaca. Un vecchio boss mafioso, Giuseppe Torricella, era stato travolto e ucciso da un pirata della strada. Non glielo aveva detto il commendatore Ardizzone che un anno, per Torricella, sarebbe stato longo a passare? Quindi la facenna delle finanziarie era assà più losca di quello che aviva pinsato. Meno male che... E fu allura che gli tornarono a mente le due carpette.

Adele stava telefonando dal cammarino col cellulare. Dato che la parete divisoria era stata ricavata col cartongesso, le parole che lei diceva le sentiva quasi tutte macari se la porta era chiusa.

«No... ti prego... non insistere... con mio marito in queste condizioni... non me la sento... te lo ripeto, no... non fare lo stupido... scusami...»

Qualche amante che voleva incontrarla? O forse lo stesso Daniele che non aveva più rivisto dal giorno che era andato a salutarlo in clinica?

Adele finì la telefonata e raprì la porta. Lui la chiamò.

«Dimmi.»

«Bisognerebbe avvertire Mario Ardizzone.»

Avrebbe potuto benissimo farlo lui, ma non gli andava di spiegargli una situazione che manco lui conosceva bene.

«Di cosa?»

«Bisognerebbe dirgli che io ancora non posso... E che non so nemmeno quando... Insomma, se vuole le carpette...»

«Ma le carpette Mario se l'è riprese!»

«Quando?»

«Il secondo giorno che eri qua.»

«Ha mandato o è venuto?»

«È venuto di persona.»

«E perché non è passato a salutarmi?»

«Ti eri appisolato e non ha voluto disturbarti.»

E dunque gli Ardizzone l'avevano liquidato senza perderci tempo. E la morte di Torricella poteva essere una conseguenza della sua malatia? Capace che gli Ardizzone, al posto suo, avevano trovato un altro che però aveva preteso maggiori garanzie. Per un attimo, fu assurdamente contento di essersi ammalato.

Un jorno che Adele gli stava facenno la prima gnizione matutina, dalla finestra aperta un raggio di sole andò a illuminare la testa di lei, che sinni stava tanticchia calata in avanti, a seguire lo svuotarsi della siringa nella vena.

Fu accussì che notò una cosa che lo fece sussultare. Tanto forte che sua mogliere se ne addunò.

«Attento! Che diavolo fai?»

«Scusami, ho avuto un brivido di freddo.»

In mezzo ai capelli biondi d'Adele ce n'erano almeno tre che erano inequivocabilmente bianchi.

E notò macari che i capelli non erano curati come al solito, a parte che erano in disordine, forse da qualche jorno non se li era manco lavati. La taliò con maggiore attenzione.

Sulle vrazza aveva una leggerissima peluria, le unghie non erano più sparluccicanti. Certo, in clinica non aveva avuto modo di darsi adenzia, ma erano tornati a casa da un pezzo. E perciò come si spiegava? Forse la cerimonia matutina le avrebbe portato via troppo tempo, le avrebbe impedito di dedicarsi a lui fin dal risveglio.

E lei ci aveva rinunziato senza storie.

Dove era andata a finire Barbie? Quante volte l'aveva, dintra di lui, chiamata accussì quando aveva pinsato d'essersi maritato con una pupa di plastica, sempre inappuntabile, con l'armadio pieno di vestiti, che lui poteva giocarci quanto voleva, ma priva d'anima e di sentimenti?

Finita la gnizione, Adele si susì addritta.

E lui vitti che la gonna non s'appattava con la cammisetta e che ai pedi portava delle specie di ciabatte.

Si stava trascurando.

«Ti faccio preparare la solita minestrina?»

Non arrispunnì. La taliava imparpagliato. Ma quando le erano spuntate quelle due piccole rughe ai lati della bocca?

«Allora, te la faccio preparare o no?»

Vuoi vidiri che si era sempre sbagliato sul conto di sua mogliere? Che le era stato allato dieci anni senza capire assolutamente nenti di lei? Capace che ora non aveva più testa per sé perché oramà l'aveva solo per lui. E allora il deserto? L'aridità dei sentimenti? Tutte fantasie che si era messo in testa?

O la vera, semplici virità era quella che aveva davanti: una povira fimmina che per amor suo... Sissignore, che per amor suo stava duramente castigando quel corpo che aveva curato tanto, gli stava negando senza pietà quello che gli aveva sempre volentieri concesso.

«Mi dici che vuoi?»

«Abbracciarti.»

Gli niscì dal cori.

Lei sgriddrò l'occhi e fece un suono strammo, come un lamento, e poi gli s'assittò sulle ginocchia, gli circondò il collo con le braccia, lo baciò e cominciò a piangere. Incontenibilmente.

Adele si dimise da presidentessa del circolo della banca, del circolo del bridge e dalla vicepresidenza della società che gestiva la squadra di calcio.

«Ma perché l'hai fatto?»

«Non ho più tempo.»

«Ma potresti chiamare un'infermiera.»

«Non voglio.»

Si era tenuta solo la presidenza dell'associazione benefica. E qualche riunione la faceva in casa. Però non più nel salone del piano terra, bensì nella cammara che era stata di Daniele e che aveva fatto ammobiliare con un grande tavolo ovale. Ci aveva portato macari la sua elegante scrivania personale.

«Così, anche se sono in riunione, basta che chiami e io arrivo.»

Si presentava alle socie accussì come s'attrovava in quel momento, senza preoccuparsi di cangiare vestito, al massimo dandosi una rapida pettinata. E prima di ogni riunione immancabilmente spiava:

«Volete salutare mio marito?»

E quelle s'affacciavano alla porta.

«Carissimo!»

«Come va?»
«Ha uno splendido colorito.»
«Si vede che Adele la tratta bene!»
«Eh! Adele è unica!»
E gli sorridevano come a un picciliddro. E a lui, mentre arrispunniva ai saluti e ai complimenti, gli viniva una gran botta di giramento di cabasisi.

Ora arrinisciva a susirisi dal letto tre volte alla simana per una breve passiata avanti e narrè nel corridoio, sempre sorretto da Adele. Gli viniva difficile respirare, accussì gli misero vicino al letto una bombola d'ossigeno. Ma se ne serviva solo quando non ne poteva fare a meno. E fu proprio una matina che sinni stava stinnicchiato con i tubicini dell'ossigeno infilati nelle nasche che sintì una voce mascolina nel corridoio. Appresso trasì Adele sorridente.
«C'è una sorpresa per te.»
E si fici di lato per lasciar passare un picciotto elegante che in prima non arriconoscì.
«Papà!»
Si lassò abbrazzare e vasare pirchì non ebbe manco la forza di livarisi i tubicini dal naso.
«Come... mai?»
«Adele mi ha telefonato dicendomi che non sei stato bene e allora...»
Si commovì come fanno i vecchi, col varvarotto tremante e senza lagrime.

I due jorni che suo figlio passò con lui volarono in un vidiri e svidiri. Ma furono veramente due jorni o tre? O fu solo mezza jornata? Il tempo gli era addivintato un problema, impossibile calcolarlo come prima. Ogni volta che taliava il ralogio che teneva sul comodino provava sorpresa. Le ore, e le jornate, avevano accelerazioni e rallentamenti misteriosi, inspiegabili.

«Perché mi fai ora l'iniezione? Non devono passare tre ore dalla pillola gialla?»

«Ma sono passate!»

Oppure:

«Ieri m'avevi detto che...»

«Non te l'ho detto ieri, ma almeno quattro giorni fa.»

Quando suo figlio venne a salutarlo per tornarsene a Londra, Adele li lasciò soli perché potessero parlarsi liberamente. Ma patre e figlio non avevano nenti da dirsi.

«Appena ti rimetti vieni a Londra. Promettimelo.»

«Te lo prometto.»

Ma sapiva che non ce l'avrebbe fatta mai ad andare a Londra.

Suo figlio l'abbrazzò stritto e gli murmuriò qualche cosa all'orecchio che non capì.

«Eh?»

«Ti volevo domandare scusa.»

«Di che?»

«Di quello che ti dissi quando mi annunziasti che intendevi maritarti con Adele. Mi sono sbagliato. Ho visto che ti vuole veramente bene.»

Una matina che Adele sinni era nisciuta, sentendosi tanticchia in forze, scinnì dal letto e si mise a firriare casa casa. Ogni tanto era costretto ad assittarsi sulla prima seggia che gli veniva a tiro, stava accussì fino a quando gli tornava il sciato e doppo ripigliava a caminare. Per questo motivo, a un certo punto, s'attrovò a riposarsi sulla seggia che c'era davanti alla scrivania di sua mogliere nella cammara che ora serviva per le riunioni. E l'occhio gli cadì su una lettera che lei aveva lasciata a mezzo. Era per Gianna, l'amica del cuore.

Cara Gianna,

abbiamo così poche occasioni di poter parlare a lungo che sono costretta a scriverti per esporti una non piacevole situazione che da troppo tempo si trascina con Daniele. Egli insiste con telefonate, messaggini, lettere, e perfino piazzandosi qualche volta davanti al nostro cancello, per poter avere la grazia, dice proprio così, la grazia, di stare ancora una volta con me. Una sola e ultima volta, dice. Ha un tale desiderio di me che a volte mi commuove.

Ma so benissimo che se dovessi cedere, ricominceremmo tutto daccapo. E io non voglio che avvenga. La sua mancanza, certe notti, mi diventa persino dolorosa. Ma pensa che cosa potrebbe succedere se fossimo per disgrazia scoperti durante un incontro fuori di casa. Non avrei più la faccia per farmi vedere in giro! Con mio marito che è malato gravemente, e che non so quanto gli resta da vivere. Come tu sai, quando l'hanno aperto, si sono accorti che non era nemmeno il caso di operare. Tu stessa mi hai domandato, dopo che sono tornata dalla clinica, che cosa mi sia successo. Non so dirtelo nemmeno io. O forse sono in grado di dirtelo superando un certo disagio: mi sono accorta di amare mio marito. E forse di averlo sempre amato. Daniele, che non ha capito niente, mi dice: va bene, se non vuoi ora, mi devi promettere che dopo, quando lui non ci sarà più, mi riprenderai in casa. Non solo non glielo posso promettere, ma vorrei si rendesse conto che, dopo, non potrà più esserci niente con lui. Né con nessun altro. Se tu potessi trovare il modo di parlare a Daniele spiegandogli

Che in clinica l'avessero aperto e richiuso perché non c'era più niente da fare, era una cosa che aveva sempre saputo. Ma se l'era sempre tinuta dintra. Spingennola cchiù a funno che potiva. Era una virità che non voleva lasciare affiorare pirchì gliene fagliava il coraggio

Ma se ora boccheggiava perché il sciato di colpo gli era venuto a mancare non era per aver saputo quello che aveva sempre intuito, ma era per la violenta commozione che stava provando nel leggere che Adele si era accorta di amarlo. E forse da sempre.

A stento arriniscì a susirisi, a strascinarisi finno alla sua cammara, a stinnicchiarsi sul letto, a infilarsi nelle nasche le cannule dell'ossigeno. Ma come aveva potuto paragonarla a Barbie o, peggio, a una bambola gonfiabile? Quando si era reso conto che Adele, doppo i primi anni di matrimonio, aveva pigliato a frequentare altri omini, lui aveva dato la colpa alla natura di lei, alla fame che aveva sempre il suo corpo. Ma stavano veramente accussì le cose? O era stato lui che, non capendola, l'aveva respinta, costringendola a un ruolo al quale Adele, almeno nei primi tempi, aveva cercato di sottrarsi? D'altra parte, era vero, mai una volta che lei gli avesse domandato: "Mi ami?". E lui, glielo aveva mai spiato? Ma pirchì si era inquartato al primo tradimento? Sarebbe bastato picca a recuperarla, macari una violenta azzuffatina sarebbe servita. E invece... Adele, appena trasuta in cammara, s'addunò che era chiuttosto agitato. Volle che si mettesse il termometro. Lui fece resistenza, ma lei s'impuntò. Trentotto e tre.

«Telefono subito a De Caro.»

«No.»

«Perché? Ti metti a fare i capricci?»

«Vedrai che mi passa subito. Mi fai un favore?»

«Certo.»

«Ti stendi accanto a me?»

Lei obbedì di slancio.

L'indomani rifece la stessa cosa. Voleva vidiri se Adele aviva terminato la lettera. Ma quando taliò supra la scrivania, la littra non c'era più. Sua mogliere l'aveva finita e spedita. Nel cestino però vitti un foglietto appallottolato. Si calò a fatica, lo pigliò, lo stirò con le mano, lo liggì.

Ha fatto testamento? Guardare nei cassetti del catafalco.
Reversibilità della pensione. Tutta o solo una parte?
Telefonare in banca per appuntamento con Verdini, il successore.

Agenzia di pompe funebri. A chi si è rivolta Gianna quando morì suo fratello?
Funerale di prima classe.
Messa solenne?

È serenamente spirato
(munito dei conforti religiosi? Sì: persuaderlo)
È serenamente deceduto
Ha chiuso gli occhi nella pace del Signore

Ne danno il triste annunzio
(a tumulazione avvenuta?)
(a esequie avvenute?)
(Oppure: I funerali si svolgeranno nella chiesa di... alle ore...)
L'inconsolabile / desolata / disperata moglie Adele e il figlio
(Moglie inglese? Come si chiama?)

Su quanti giornali? Informarsi sulle tariffe.
Telefonate al mom. del decesso: fare elenco.

Chiedere aiuto a Daniele?

Si sentì mancare, la cammara principiò a firrigliargli torno torno. Un bagno di sudore l'assammarò d'improviso. Chiuì l'occhi.

Doppo appallottolò nuovamente il foglio, lo gettò nel cestino, arrinisci a susirisi, accomenzò a caminare nel corridoio tinennosi con le spalle appuiate al muro e procedendo di lato come i granchi, passò la porta divisoria ch'era aperta, trasì nel suo studio, crollò sulla poltrona, appuiò la testa sullo scrittoio e restò accussì. Col sciato che gli faciva un rumore di mantice. Quando si sintì tanticchia più in forze, raprì il cascione e tirò fora la valigetta della pistola.

L'aviva pinsata bona. Morto per morto, si sarebbe sparato. Un colpo in testa. E avrebbe definitivamente fottuto Adele. Addio necrologio già bello e pronto con i suoi conforti religiosi, i suoi serenamente deceduto, i suoi occhi chiusi nella pace del Signore!

Che vrigogna, un marito suicida! Nenti funzione in chiesa, nenti parrini, nenti funerali sullenni. Semmai una cosa da fare a taci maci, all'alba o alla scurata, che meno persone ci vanno appresso e meglio è.

Vallo a spiegare, in un necrologio, che uno si è sparato! E macari se Adele non l'avesse spiegato, la gente l'avrebbe saputo lo stesso. E lei ci avrebbe perso la faccia davanti a tutti.

Raprì la valigetta. Aggelò. Era vacante.

Adele, scantannosi che lui potesse fare un gesto disperato a causa della malatia, si era pigliata la pistola e l'aveva ammucciata.

Trimanno di raggia, arrinisci a susirisi, a tornare nel corridoio, ma attrovò chiusa la porta tra i due appartamenti. Forse un colpo di vento. Tentò di raprirla, ma non ci arrinisci.

Doppo gli parse che era venuta improvvisamente notte e cadì in terra.

Non ce la fece cchiù a mangiari. Respirare gli addivintò difficile. Tossiva in continuazione e il catarro sua mogliere glielo asciucava con un fazzoletto di carta.

Era un corpo inerte. Adele ogni tanto lo metteva con fatica corcato ora su un fianco ora sull'altro per

evitare che gli vinivano le piaghe. E doppo gli faciva gnizioni diverse che gli annigliavano il ciriveddro e lo facivano dormiri a longo.
L'unica domanda che arrinisciva ancora a farsi, ma confusamente, era: "Quanto mi resta da campare?".

Ma il tempo aveva da un pezzo finito di accelerare o di rallentare. Ora gli viniva difficile assà distinguere la notte dal jorno, la sira dalla matina, pirchì il tempo era addivintato come un liquido gelatinoso che fluiva sempre uguale e senza mai cangiare di colore.

Una volta sintì che lo toccavano mani diverse da quelle alle quali oramà si era abituato. Raprì l'occhi e gli parse di vidiri a De Caro. Che veniva a significare? Era ancora nella sua casa o l'avevano di nuovo portato in clinica?

Una matina, o una sira, o una notti, Adele l'arrisbigliò per dargli la prima, o la secunna, o la terza compressa.
E lui, in un lampo di lucidità, vitti che lei gli si era appresentata come ai vecchi tempi, di nuovo in perfetto ordine, pettinata, vestita di tutto punto.
Indossava il tailleur grigio.

«Il tailleur grigio»
di Andrea Camilleri
Oscar bestsellers
Arnoldo Mondadori Editore

Questo volume è stato stampato
presso Mondadori Printing S.p.A.
Stabilimento NSM - Cles (TN)
Stampato in Italia - Printed in Italy